NEW
서울대 선정
인문고전
60선

17
몽테스키외 **법의 정신**

NEW 서울대 선정 인문 고전 ⑰

만화 몽테스키외 법의 정신

개정 1판 1쇄 발행 | 2019. 8. 21
개정 1판 2쇄 발행 | 2021. 9. 27

손영운 글 | 최우빈 그림 | 손영운 기획

발행처 김영사 | 발행인 고세규
등록번호 제 406-2003-036호 | 등록일자 1979. 5. 17.
주소 경기도 파주시 문발로 197 (우10881)
전화 마케팅부 031-955-3100 | 편집부 031-955-3113~20 | 팩스 031-955-3111

값은 표지에 있습니다.
ISBN 978-89-349-9442-8
ISBN 978-89-349-9425-1(세트)

좋은 독자가 좋은 책을 만듭니다. 김영사는 독자 여러분의 의견에 항상 귀 기울이고 있습니다.
전자우편 book@gimmyoung.com | 홈페이지 www.gimmyoungjr.com

이 도서의 국립중앙도서관 출판예정도서목록(CIP)은 서지정보유통지원시스템 홈페이지(http://seoji.nl.go.kr)와
국가자료종합목록시스템(http://www.nl.go.kr/kolisnet)에서 이용하실 수 있습니다. (CIP제어번호 : CIP2019000268)

어린이제품 안전특별법에 의한 표시사항

제품명 도서 제조년월일 2021년 9월 27일 제조사명 김영사 주소 10881 경기도 파주시 문발로 197
전화번호 031-955-3100 제조국명 대한민국 ⚠주의 책 모서리에 찍히거나 책장에 베이지 않게 조심하세요.

미래의 글로벌 리더들이 꼭 읽어야 할 인문고전을 만화로 만나다

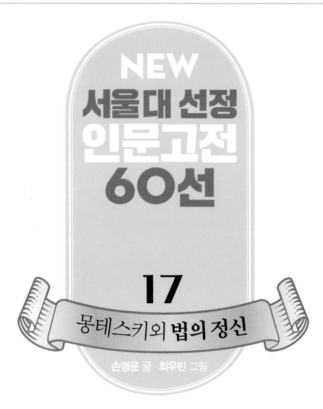

NEW 서울대 선정 인문고전 60선

17

몽테스키외 법의 정신

손영운 글 · 최우빈 그림

주니어김영사

| 기획에 부쳐 |

〈NEW 서울대 선정 인문고전60〉이 국민 만화책이 되기를 바라며

제가 대여섯 살 때 동네 골목 어귀에 어린이들에게 만화책을 빌려주는 좌판 만화 대여소가 있었습니다. 땅바닥에 두터운 검정 비닐을 깔고 그 위에 아이들이 좋아하는 만화책을 늘어놓았는데, 1원을 내면 낡은 만화책 한 권을 빌릴 수 있었지요. 저는 그곳에서 만화책을 보면서 한글을 깨쳤고 책과의 인연을 맺었습니다.

초등학교 때는 용돈을 아껴서 책을 사서 읽었고, 중학교 때는 학교 도서 반장을 맡아 도서관에서 매일 밤 10시까지 있으면서 참 많은 책을 읽었습니다. 그 무렵 헤밍웨이의 《노인과 바다》를 손에 땀을 쥐며 읽으면서 인생에 대해 고민했고, 헤르만 헤세의 《수레바퀴 아래서》를 읽으며 사춘기의 심란한 마음을 달랬습니다. 김래성의 《청춘 극장》을 밤새워 읽는 바람에 다음 날 치르는 중간고사를 망치기도 했습니다.

당시 저의 꿈은 아주 큰 도서관을 운영하는 사람이 되어 온종일 책을 보면서 책을 쓰는 작가가 되는 것이었습니다. 나이가 들고 어느 정도 바라는 꿈을 이루었습니다. 큰 도서관은 아니지만 적당한 크기의 서점을 운영하고, 글을 쓰는 작가가 되었거든요. 저는 여기에 새로운 꿈을 하나 더 보탰습니다. 그것은 즐거운 마음과 힘찬 꿈을 가지게 해 주고, 나아가 자기 성찰을 도와주는 좋은 만화책을 만드는 일이었습니다. 이렇게 해서 만든 책이 바로 〈서울대 선정 인문고전〉입니다. 서울대학교 교수님들이 신입생과 청소년들이 꼭 읽어야 할 책으로 추천한 도서들 중에서 따로 60권을 골라 만화로 만든 것입니다. 인류 지성사의 금자탑이라고 할 수 있는 고전을 보기 편하고 이해하기 쉽도록 만화책으로 만드는 일은 쉬운 일은 아니었습니다. 약 4년 동안에 수십 명의 학교 선생님들과 전공 학자들이 원서의 내용을 정확하게 전달할 수 있도록 밑글을 쓰고, 수십 명의 만화가들이 고민에 고민을 거듭하면서 만화를 그려 60권의 책을 만들었습니다.

〈서울대 선정 인문고전〉이 완간되었을 무렵에 우리나라에 인문학 읽기 열풍이 불기 시작했습니다. 〈서울대 선정 인문고전〉은 인문학 열풍을 널리 퍼뜨리는 데 한몫을 하면서 독자들의 뜨거운 사랑과 관심을 받았습니다. 덕분에 지금까지 수백만 권이 팔리는 베스트셀러가 되었습니다. 그 사랑에 조금이나마 보답을 하기 위해 《칸트의 실천이성 비판》, 《미셸 푸코의 지식의 고고학》, 《이이의 성학집요》 등 우리가 꼭 읽어야 할 동서양의 고전 10권을 추가하여 만화로 만들었습니다.

〈서울대 선정 인문고전〉은 어린이와 청소년이 부모님과 함께 봐도 좋을 만화책입니다. 국민 배우, 국민 가수가 있듯이 〈서울대 선정 인문고전〉이 '국민 만화책'이 되길 큰마음으로 바랍니다.

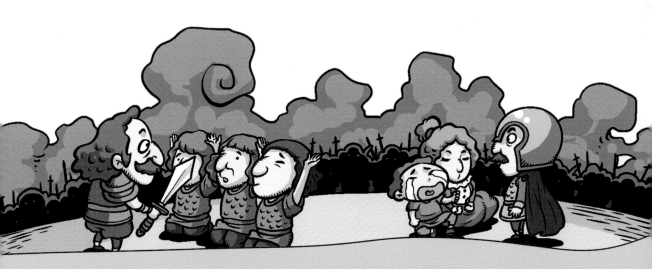

손영운

왜 인간은 국가를 이루고 법을 필요로 하는가?

성경 창세기 편을 보면 아담과 하와가 선악과를 따먹은 후 벌거벗은 모습이 부끄러워 숨었다가 신의 노여움을 사서 낙원에서 쫓겨나온다는 이야기가 있다. 이 내용을 근거로 기독교에서는 인간이 선악과를 먹었기 때문에 평생 노동을 하고 아이를 낳는 고통을 겪다가 결국에는 병들고 늙어 죽는 원죄를 짊어지게 되었다고 가르친다. 아주 오랜 시간 동안 서양 사람들은 이 사실을 믿어 의심치 않았고 인생의 질고를 운명으로 받아들이고 살았다.

그러나 18세기 이후 사람들의 생각은 변했다. 철학자 칸트는 아담과 하와가 선악과를 먹은 것은 신에 대한 복종 대신 자유를 택한 것이고, 인간 스스로가 주인이 되어 자유롭게 살기 원했기 때문이라고 했다. 인간은 천국에서 쫓겨난 것이 아니며 스스로 거부한 것이라고 했다.

철학자 헤겔도 비슷한 생각을 했다. 그는 인류의 역사란 자유를 실현해 가는 과정이라고 했다. 헤겔은 '자유의 유일한 목적은 자유 그 자체이며 이것은 곧 인간 정신의 목적이다. 그러므로 자유로 가는 길이 아무리 멀고 험해도 정신은 결코 자유를 포기할 수 없다.'고 했다. 그러면서 헤겔은 '국가 없이는 자유도 없다.'며 인간이 자유를 얻고 지키기 위해서는 반드시 국가가 필요하다고 주장했다. 그는 자유라는 목적이 이루어져 가장 확실하게 나타난 모습이 국가라고 했다.

인류 역사를 보면 국가가 없는 개인은 천대받고 불안하며 궁핍한 삶을 살았던 것을 알 수 있다. 가까운 예로 우리나라도 일제 강점기 때 국가의 보호를 받지 못해 굴종의 세

월을 보낸 적이 있다.

하지만 헤겔이 말한 고결한 의미의 국가는 가치의 목적으로 존재하나 실제로는 찾아볼 수 없다. 국가가 있다고 해서 모든 개인이 자유롭고 안정된 삶을 사는 것도 아니기 때문이다. 국가답지 않은 국가는 오히려 개인의 삶을 억압하고 불행하게 한다. 그래서 정치학의 원조인 아리스토텔레스 이후 서양 정치철학의 핵심 과제는 모든 인간이 남의 지배에서 독립하여 자유로운 삶을 살 수 있는 정치 체계를 만드는 일이었다. 몽테스키외도 평생 이 질문에 대한 답을 찾기 위해 노력했고 자신이 생각하는 모범 답안을 만들었다. 그것이 바로 지금 우리가 보려고 하는 《법의 정신》이라는 책이다.

몽테스키외는 이 책에서 올바른 국가가 되기 위해서는 법의 정신이 살아 있고, 법의 테두리 안에서 권력이 나누어져 서로 견제하는 정치 시스템, 즉 삼권분립을 갖추어야 한다며 다음과 같이 주장했다.

'한 시민의 정치적 자유란 각자가 자기의 안전에 대해 가지는 의견에서 유래되는 그 정신의 안정을 의미한다. 그리고 그 자유를 갖기 위해서는 한 시민이 다른 시민을 두려워할 이유가 없는 정체여야 한다. 동일한 인간 또는 동일한 집정관 단체의 수중에 입법권과 집행권이 결합되어 있을 때에는 자유란 존재하지 않는다. 왜냐하면 같은 군주 또는 같은 원로원이 폭정적인 법률을 만들고 그것을 폭력적으로 집행할 우려가 있기 때문이다. …… 재판권이 입법권과 집행권으로부터 분리되어 있지 않을 때에도 자유는 존재할 수 없다. 만약 그것이 입법권에 결합되어 있다면 시민의 생명과 자유를 지배하는 권력은 자의적인 것이다. 왜냐하면 재판관이 곧 입법자이기 때문이다.'

인류 역사에서 인간에게 있어 가장 소중한 가치가 정신과 육체의 자유라는 사실을 깨닫고 존중받기 시작한 것은 그리 오래되지 않은 일이다. 하지만 그 가치는 아직도 불안하다. 이것이 우리가 《법의 정신》을 읽어야 하는 중요한 이유다.

《법의 정신》에 담긴 내용은 방대하다. 이 책은 그 내용에서 꼭 알아야 할 내용을 소개했을 뿐이다. 그러므로 이 책을 읽은 후 《법의 정신》 원전을 꼭 읽기를 바란다. 또 책을 읽을 때 '왜 인간은 국가를 이루고 법을 필요로 하는가?'라는 화두를 잊지 않기를 바란다.

손영운

멀고도 어려운 '법'에 한 걸음 다가갈 수 있기를

맨 처음 《법의 정신》의 원고를 받고는 난감했습니다. 법에 대해서는 전혀 알지 못하는 제가 몽테스키외의 대표작인 《법의 정신》을 과연 독자 여러분께 얼마나 재미있고 쉽게 전달할 수 있을지, 어려운 법을 조금이나마 명쾌하게 이해할 수 있도록 좋은 길잡이가 되어 드릴 수 있을지 하는 두려움 때문이었지요. 하지만 《법의 정신》을 그리면서 어려운 법에 대해 하나하나 이해할 수 있는 기회가 되었고, 많은 공부도 되었습니다. 멀고도 어려웠던 법에 한 걸음 다가가게 되었다고나 할까요.

프랑스의 계몽 사상가 몽테스키외는 《법의 정신》을 완성하기까지 20년이라는 세월을 보냈습니다. 그는 보르도 고등법원장을 지내기도 했는데, 그때의 체험을 바탕으로 모순과 혼동이 가득한 법률의 세계에서 질서를 발견하려고 했지요. 그는 국가의 통치 형태를 공화정, 군주정, 전제정 유형으로 구분하고, 그 가운데 삼권 분립 제도와 입헌왕제를 채택한 영국이 가장 모범적인 정치 형태라고 생각했습니다. 그렇긴 해도 그의 목적은 어디까지나 가장 좋은 정치를 탐구하는 것이 아니라 다양한 법률의 배후에 있는 정신을 탐구하는 것이었지요. 그는 《법의 정신》에서 법률뿐만 아니라 정치, 습속을 비교하기도 하고, 그에 따른 역사적 · 지리적 조건도 연구하고 있습니다. 《법의 정신》이 훗날 법륙학뿐만 아니라 일반 문화와 과학에까지 획기적인 영향을 줄 수 있었던 것은 이 때문이지요.

몽테스키외는 조국 프랑스의 부패에 심각함을 느끼며, 자유와 민주주의의 나라인 영국에 가서 그 해답을 찾아오게 됩니다. 그것은 바로 정치적 자유를 향한 영국의 삼권 분립 제도였습니다. 이 책에서

도 그것을 강조하고 있습니다. 어느 하나가 다른 하나에게 먹힌다면 나라는 타락하고 시민들은 고통받게 된다는 것을 강조하고 있으며 군주정체, 전제정체, 공화정체를 자세히 설명하고 있습니다. 현재 대부분의 국가는 공화정체입니다. 오늘날 우리가 국민의 대리자로 행정관, 대통령을 뽑게 된 것은 투표권이 있기에 가능한 것입니다. 이 외에도《법의 정신》에는 실정법, 자연법에 대한 정의도 나와 있습니다. 법은 역시 심오하고 잠 오는 것(?)이기에 이 책을 따라가는 데 좀 지칠 수도 있을 것 같습니다. 하지만 만화를 곁들여 보면서 재미있게《법의 정신》을 읽었으면 하는 바람입니다. 표현이 부족해 이해하는 데 어려운 부분이 있더라도, 여러분이 법을 이해하는 데 작은 도움이 됐으면 좋겠습니다.

최우빈

| 차례 |

이자
이자

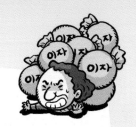

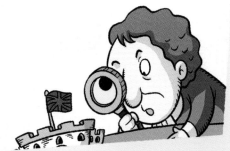

1장

《법의 정신》은 어떤 책인가?

법의정신
'모든 인간사에 종말이 있는 것처럼 우리가 말하는 국가도 언젠가는 자유를 잃을 것이고 멸망할 것이다.
로마도 스파르타도 카르타고도 그러하지 않았던가. 입법권이 집행권 이상으로 부패할 때, 그것은 멸망할 것이다.'
-《법의 정신》 본문에서

《법의 정신》은 프랑스의 대표적인 계몽 사상가 몽테스키외가 쓴 책이야.

원래 제목은 《법의 정신 또는 각 정체*의 구성, 풍습, 기후, 종교, 상업 등과 맺는 관계에 대하여》인데, 너무 길어서 《법의 정신》이라고 줄여서 부르지.
우아! 내가 지었지만 숨차서 못 읽겠다!

* 정체: 국가의 통치 형태.

긴 제목처럼 이 책에는 인간의 삶과 관련된 많은 내용이 들어 있어.

몽테스키외는 《법의 정신》을 쓰기 위해 약 20년 동안 동양과 서양, 과거와 현재의 역사, 경제, 정치, 종교, 사회 등에 관련하여 방대한 자료를 연구했어.

몽테스키외가 오랜 세월
다양한 자료를 연구한 이유는
유럽 사람들뿐만 아니라 중국이나 인도 등의 동양인들까지 포함하여
인류가 공통적으로 가지고 있는 '법의 정신'을 밝혀내기 위해서였어.
나는 평생을 이 작품 속에서 살았다고 말할 수 있습니다.
하지만 일부 학자들은《법의 정신》이
지나치게 광범위한 영역을 연구하여
연구의 체계가 없고,
무슨 책이 이렇게 산만해? 체계가 없어요. 없어!
일부 내용은 정확하지 않다고
비판하기도 해.
이건 틀린 거 아니야?
실제로 책을 읽으면 그런 생각이
들기도 할 거야.
제목이《법의 정신》이라서
법이나 정치에 관련된
책이겠거니 하고 보면,
법
정말 잡다한 이야기가 많이 들어
있다는 것을 알 수 있어.
이거, 반은 쓸데없는 얘기들 뿐이잖아!
옛날 로마의 역사 이야기가
한참 나오다가,
유럽 여자들의 사치에 대한
이야기가 나오고,
일본의 폭압적인 군주에 대한
이야기가 나오기도 하거든.

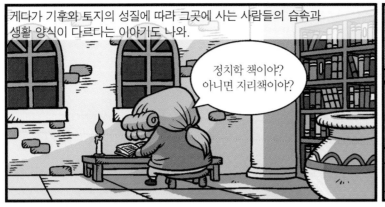

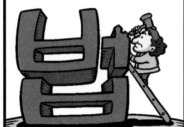

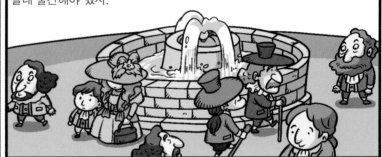

게다가 기후와 토지의 성질에 따라 그곳에 사는 사람들의 습속과 생활 양식이 다르다는 이야기도 나와.
정치학 책이야? 아니면 지리책이야?
그렇지만 《법의 정신》을 관통하는 커다란 주제는 하나야.
법의 정신
그것은 바로 시민의 정치적 자유, 다른 말로 하면 인간의 정치적 자유야.
정치적 자유
몽테스키외는 인간의 진정한 정치적 자유를 위해 법을 제대로 만들고 집행해야 하는데,
그러려면 입법, 행정, 사법의 삼권을 분립해야 한다고 주장했어.
사법
행정
입법
몽테스키외는 1748년 11월, 그의 나이 59세 때 이 책을 출간했어.
법의정신
자기의 나라인 프랑스가 아니라 스위스 제네바에서, 그것도 다른 이름으로 몰래 출간해야 했지.
당시 프랑스는 루이 14세가 세상을 떠난 뒤 절대왕정이 점점 허물어지고,
출판물에 대한 정부의 사상 통제가 아주 심한 시기였거든.
사상
그런데 몽테스키외는 프랑스의 전제적인 군주 정치 체제의 폐단을 비판하고,
이런 식의 프랑스는 위험해!

어떤 정치 체제에서 시민들이 진정한 자유를 추구할 수 있는가 고민하고,
이를 위해 필요한 법과 정체의 관계, 법의 본질을 파헤쳤어.
법의 본질
법과 정체의 관계
그러니 이 책이 집권 세력으로부터 강력한 견제를 받는 것은 뻔한 일이었던 거야.
법의정신
이를 잘 알았던 몽테스키외는 프랑스가 아닌 곳에서, 다른 사람의 이름으로 책을 출간했지.
이 정도면 날 못 알아 보겠지?
법의정신
다행히 《법의 정신》의 출간은 큰 성공을 거두었어. 2년 동안 22쇄를 찍을 정도로 유럽인들로부터 폭발적인 반응을 불러일으켰어.
여러 학자들은 그의 책을 아주 높이 평가했어.
《법의 정신》은 모든 시대에 걸쳐 칭송받을 책입니다.
뉴턴이 물리 세계의 법칙을 발견했듯 몽테스키외는 정신세계의 법칙을 발견했습니다.
물론 기득권 세력들의 저항도 만만치 않았어. 대표적인 예가 로마 가톨릭교회야. 가톨릭교회는 이 책을 금서로 지정했어.
모든 국가에 적합한 정치나 법이란 존재하지 않습니다.
기독교를 다른 종교와 같은 급으로 다루다니 용서할 수 없어요.

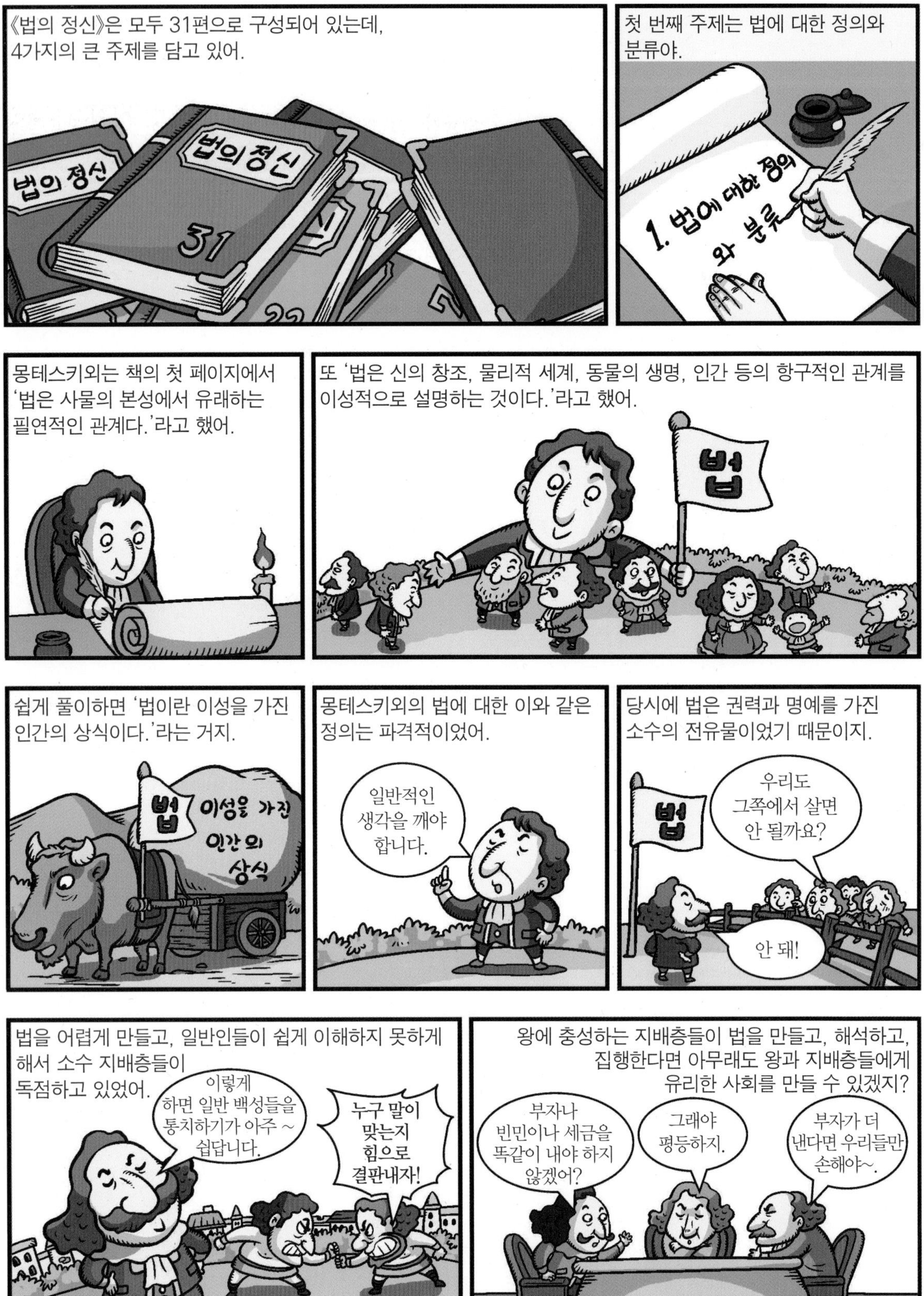
《법의 정신》은 모두 31편으로 구성되어 있는데,
4가지의 큰 주제를 담고 있어.
법의 정신
법의정신
31
첫 번째 주제는 법에 대한 정의와
분류야.
1. 법에 대한 정의
와 분류
몽테스키외는 책의 첫 페이지에서
'법은 사물의 본성에서 유래하는
필연적인 관계다.'라고 했어.
또 '법은 신의 창조, 물리적 세계, 동물의 생명, 인간 등의 항구적인 관계를
이성적으로 설명하는 것이다.'라고 했어.
법
쉽게 풀이하면 '법이란 이성을 가진
인간의 상식이다.'라는 거지.
법
이성을 가진
인간의
상식
몽테스키외의 법에 대한 이와 같은
정의는 파격적이었어.
일반적인
생각을 깨야
합니다.
당시에 법은 권력과 명예를 가진
소수의 전유물이었기 때문이지.
법
우리도
그쪽에서 살면
안 될까요?
안 돼!
법을 어렵게 만들고, 일반인들이 쉽게 이해하지 못하게
해서 소수 지배층들이
독점하고 있었어.
이렇게
하면 일반 백성들을
통치하기가 아주 ~
쉽답니다.
누구 말이
맞는지
힘으로
결판내자!
왕에 충성하는 지배층들이 법을 만들고, 해석하고,
집행한다면 아무래도 왕과 지배층들에게
유리한 사회를 만들 수 있겠지?
부자나
빈민이나 세금을
똑같이 내야 하지
않겠어?
그래야
평등하지.
부자가 더
낸다면 우리들만
손해야~.

몽테스키외는 이런 세상을 향해 법이란 사물의 본성이고, 세상을 살아가는 하나의 방법이므로,
법
특권층의 전유물이어서는 안 되고,
이게 어디에 쓰는 물건이지?
그러게?
법
허허. 백성이 법을 알게 되면 골치 아파지는데?
이성을 지닌 인간이라면 누구나 다 알아야 하는 상식이라고 외쳤던 거야.
이게 어디에 쓰는 물건이지?
법
또한 몽테스키외는 실정법을 대상과 목적에 따라 세 종류로 구분했어.
첫째는 나라들 사이의 관계를 올바르게 유지하는 데 필요한 만민법(국제법), 둘째는 통치자와 일반인들의 관계를 확립하는 데 필요한 공법(정치법), 셋째는 일반인들 사이의 관계를 조정하는 데 필요한 시민법(형법이나 민법 등)이 있습니다.
만민법
공법
시민법
법은 한 나라의 자연, 풍토, 습속, 종교, 가치관, 경제와 연관되어 만들어져야 한다고 주장했어.
법
자연
풍토
가치관
습속
종교
경제
특히 정체의 성질과 원리가 중요하다고 했지.
그는 이런 관계의 총체가 바로 '법의 정신'을 형성하고,
법의 정신
법의 정신은 인간의 자유 및 본성과 조화를 이루어야 한다고 했어.
법의 정신

두 번째 주제는 정치 체제의 분류야.
몽테스키외는 정치 체제를
공화정체, 군주정체, 전제정체
3가지로 분류했어.
공화정
군주정
전제정
공화정체는 다시 민주정체와 귀족정체로 나뉘는데, 민주정체는 주권이 국민 모두에게 있는 것이고, 귀족정체는 주권이 귀족 중심의 소수에게 있는 것을 말해.
민주정
귀족정
군주정체는 군주가 법에 의해 귀족 등의 중간 지배층을 두고 통치하는 정치 체제를 말하지.
군주정
군 주
귀 족
평 민
마지막으로 전제정체는 군주가 법이나 중간 지배층을 따로 두지 않고 오로지 자신의 뜻대로 권력을 행사하는 정치 체제를 말해.
전제정
권력
그리고 몽테스키외는 각 정체를 움직이는 행동 원리를 규명했는데, 공화정체는 덕, 군주정체는 명예, 전제정체는 공포라고 했어.
공포
명예
덕
전제정
군주정
공화정
덕은 국민에 의한 주권 행사와 국민의 주권에 대한 순종을 순조롭게 해 주지요.
덕
공화정
사회의 위계질서를 지켜 주고 이로 인해 군주정체가 조화롭게 운영될 수 있습니다.
명예
군주정

전제정체를 움직이는 원리를 공포라고 한 것은 오직 군주 한 명에 대한 두려움이 귀족과 백성들을 억압하고 통치할 수 있기 때문입니다.
전제정치에는 법과 같은 질서 유지의 도구가 없기 때문이지요.
공화정
군주정
도구
도구
몽테스키외는 전제정체를 가장 나쁜 정체로 보았어.
전제정
또한 그는 각 정체의 원리를 잘 보전하는 법을 제정하여 준수토록 해야 한다고 했어.
공화정
군주정
원리
원리
그렇지 않으면 공화정체와 군주정체가 전제정체로 타락한다고 했지.
전제정
공화정·군주정
세 번째는 그의 업적 중에서 가장 널리 알려진 권력 분립(삼권 분립)에 관한 이론이야.
권력분립
입법부
사법부
행정부
몽테스키외는 오랜 연구를 통해 동서양을 막론하고 사람들은 누구나 권력을 쥐면 그것을 남용하는 경향이 있다는 사실을 발견했어.
네 아내를 빨리 데려와라!
내가 저럴 줄 알았지.
그래서 몽테스키외는 권력이 권력을 제어할 수 있는 수단을 찾고자 애를 썼어.
비켜라!
비킬 수 없다.
이를 통하여 시민의 정치적 자유를 보장할 수 있다고 믿었기 때문이야.
정치적 자유

하지만 몽테스키외가 말하는 자유는 무한의 자유가 아니야.
영국의 철학자이자 정치학자인 존 로크가 먼저 말한 거야.
만일 한 시민이 법이 금지하는 것을 행하면 이는 다른 시민 역시 그와 마찬가지로 행동할 수 있다는 것을 의미하고, 이는 결국 그의 자유를 상실하게 되는 결과를 낳기 때문입니다.
내 거야!
무슨 소리? 내 거야!
몽테스키외가 말하는 자유란 타인의 자유를 침해하지 않는 소극적 의미의 자유였어.
여기서 놀면 위험하니 저쪽으로 가서들 놀아라.
권력의 과도한 행사를 규제함으로써 얻는 제한된 자유라고 할 수 있지.
난 너무 답답하잖아.
그래서 그는 프랑스 사람이었지만 시민의 자유를 보장하는 '권력의 분립' 정신에 따라 운영되는 영국의 정체를 부러워했어.
오~ 훌륭해~.
이러한 부러움 때문에 그는 영국 정체를 모델로 삼아 권력 분립에 대한 이론을 심도 있게 연구했고 3권 분립이라는 결과를 내놓았어.
그런데 권력을 나누어야 한다는 생각을 몽테스키외가 처음 말한 것은 아니야.
험험…. 베낀 건 아니고 그냥 참고만 했어요~.
영국의 철학자이자 정치학자인 존 로크가 먼저 내놓았어.
국가의 권력은 입법권, 집행권, 동맹권으로 나누어야 합니다.
로크는 기초적인 수준의 삼권을 분립을 주장했지.

로크는 법을 제정하는 입법권을
다른 권력보다 높게 생각했어.
입법권
입법권은 직접적으로 시민의 뜻에
기초한다고 보았기 때문이야.
입법권
시민
집행권은 국내에서 법률의 집행을
확보하는 권력이고,
집행권
법률
동맹권은 외국에 대한 선전 포고나
강화(講和)에 필요한 조약 체결 등을
하는 권력을 말해.
동맹권
그런데 로크는 동맹권은 국내
정치와 외교의 일관성을 위해
집행권을 맡은 사람에게 주어야
한다고 했어.
이리 가져와~.
동맹권
집행권
그런 의미에서 로크의 권력분립론은
입법권과 집행권의 2권 분립이라고
할 수 있을 거야.
입법권
집행권
2권 분립
반면 몽테스키외는 3권 분립을
엄격하게 적용했어.
무슨 소리? 정답은 3권 분립이야!
그는 국가권력을 입법권, 행정권,
사법권으로 나누어야 한다고
주장했어.
행정권
사법권
입법권
또한 각각의 권력은 다른
권력으로부터 간섭이나 구속받는
일이 없어야 한다고 했어.
이번에 행정권 일처리가 조금 아쉽더만?
맞아~.
너희가 무슨 상관이야~.
입법권
사법권
행정권
특히 입법부와 행정부와는 서로 견제하는 권능을 가지고
상호 억제하여 권력이 균형을 이루도록 조직되어야 한다고 했지.
입법부
행정부
몽테스키외의 생각에 따르면 권력의 어떤
쪽도 일방적으로 법을 제정할 수 없어.
법 하나 제정하기가 너무 어려워~.
행정부

만약 일방적으로 어떤 권력에 의해 법이 제정되면 다른 쪽의 권력이 거부권을 행사하여 이를 저지하도록 했어.
더욱 강력하게 대응할 법을 만들어야 할 겁니다.
난, 반대일세~.
이렇게 할 때 시민의 안전이 현실화되고 권력의 횡포로부터 시민의 자유를 보호받을 수 있습니다.
《법의 정신》에 담긴 그의 3권 분립 사상은 미국 독립 전쟁과 프랑스 혁명에 큰 영향을 끼쳤지.
미국독립혁명
프랑스혁명
3권 분립사상
특히 미국 건국의 아버지들은 독립선언서를 작성하고 미국 헌법을 제정하는 과정에서 이 책의 주장을 거의 있는 그대로 받아들였다고 해.
우리의 연방정부 구상의 아이디어를 《법의 정신》에서 얻도록 합시다.
좋은 생각이오.
맞소.
제퍼슨
해밀턴
매디슨
몽테스키외의 3권 분립론은 지금 생각하면 너무나 당연한 이야기야.
행정권
사법권
입법권
3권 분립론
하지만 당시에는 너무나 혁명적인 내용이어서 많은 사람들의 관심을 받았어.
3권 분립
권력 분립에 있어 가장 앞서 나갔던 영국에서도 그의 생각을 높이 샀어.
어쭈, 프랑스 사람 생각이 제법 멋진데?
3권 분립 때문에 《법의 정신》이 그때나 지금이나 정치학 관련 책 중에서 가장 뛰어난 책으로 여겨지고 있어.
법의정신
3권 분립론
몽테스키외 자신도 《법의 정신》에서 이 부분을 가장 중요하게 여겼던 것 같아.
이 부분은 시간이 많이 걸리더라도 꼼꼼히….
1734년 이 책을 쓴 이래 3권 분립에 대한 내용은 한 번도 수정하거나 교정하지 않았거든.
법의정신
3권 분립

네 번째는 기후가 사람들의 정치 활동에 영향을 미친다는 주장이야. 이것은 몽테스키외만의 독특한 생각이라고 할 수 있어.
추워 죽겠는데 정치는 무슨 정치야?
그는 다양한 자료와 실험을 통해 더위와 추위 같은 기후 조건이 개인의 신체 구조에 영향을 미치고, 결과적으로 사회의 지적 풍토에까지 영향을 준다고 강조했어.
그러므로 법을 만들 때는 기후 조건에 맞는 법의 정신을 바탕으로 해야 합니다.
《법의 정신》에는 앞서 말한 4가지 큰 주제 외에도 노예 제도, 조세 정책, 화폐의 사용, 종교 문제 등에 대한 다양한 내용이 들어 있어.
세금
만 원
이 내용은 이 책의 3장 이후를 보면 자세히 알 수 있을 거야.
법의정신
오늘날 우리는 시민의 정치적 자유가 보장된 사회에 살고 있어. 이런 시민의 정치적 자유는 공짜로 주어진 것이 아니야.
정치적 자유
몽테스키외를 비롯한 정치학자들의 진보적인 생각이 있었고, 이런 생각을 현실화시키기 위한 많은 사람들의 피와 땀이 있었어.
그러므로 정치적 자유의 소중함을 항상 깨달으며 살아야 해.
정치적 자유
그래야 우리의 후손들은 지금보다 더 자유롭고 윤택한 세상에서 살 수 있을 거야.
이것이 바로 몽테스키외가 《법의 정신》을 쓴 이유야.
법의정신

삼권 분립(三權 分立)

몽테스키외는 '모든 정치권력을 가진 자는 권력을 남용하기가 쉽다. 그는 권력을 극한까지 사용하고 싶어 한다.'고 주장하며 권력의 분립을 주장했습니다. 그는 시민의 정치적 자유를 위해서는 입법권, 집행권, 재판권의 권력을 나누어 서로 견제하는 정치 시스템을 갖추어야 한다고 했습니다. 우리는 이를 삼권 분립이라고 하고 대부분 선진 민주 국가에서 중요한 헌법 정신으로 여깁니다.

삼권 분립의 역사

고대 그리스의 철학자 아리스토텔레스는 인간이 지혜롭게 살기 위해서 중용이 중요한 것처럼 국가를 정의롭게 유지하려면 균형과 조절이 필요하다고 생각했습니다. 그래서 정치에 참여하는 세력들 사이에 균형을 조절하는 통치 기술인 권력 분립의 중요성을 강조했습니다.

프랑스 대혁명, 튈르리 궁으로 진격하는 시민의 모습

아리스토텔레스의 생각은 17세기에 이르러 영국의 철학자 존 로크에 의해 좀 더 구체화되었습니다. 존 로크는 국가 기관은 공동의 선을 위해 인민으로부터 권력을 위임받은 상태이므로 인민을 위해 권력을 나눌 수 있다고 주장하며 입법권과 집행권(행정권과 재판권을 합친 개념)을 동일한 기관에게 귀속시키지 말아야 한다는 이권 분립을 주장했습니다.

존 로크의 정치사상은 1689년 영국에서 권리장전에서 채택되었고, 영국은 전통적으로 입법권이 우위를 점하는 정치 체제를 갖추었습니다. 또한 그의 사상은 프랑스 대혁명, 미국의 독립 운동 등에 큰 영향을 주었고 전 세계 민주주의 발전에 토대가 되었습니다.

몽테스키외는 존 로크의 이권 분립에 사법권의 독립을 추가하여 삼권 분립으로 발전시켰습니다. 몽테스키외는 집행권은 행정 권력을 가진 군주에게, 범죄 및 개인의 소송을 판단하는 권력은 사법 권력을 가진 이에게, 법을 제정하는 권력은 입법 권력을 가진 인민과 귀족의 대표자들에게 주어야 한다고 주장했습니다. 몽테스키외의 사상은 당시 군주의 권력을 제한하고 귀족의 지위를 유지시켜 주는 등의 시대적 한계가 있었으나 근대 민주주의의 삼권 분립에 큰 영향을 주었습니다.

미국 헌법에 담겨 있는 삼권 분립의 정신

1787년 미국의 필라델피아에서 개최되었던 미국의 연방 헌법 제정 회의. 조지 워싱턴이 헌법에 따라 미국의 초대 대통령이 되었다.

몽테스키외의 삼권 분립 정신을 가장 구체적으로 구현한 것은 미국의 헌법입니다. 미국은 세계 최초로 삼권 분립을 헌법에 명시했으며 사법부를 독립 기관으로 인정했습니다.

미국의 헌법은 견제와 균형의 원칙을 토대로 연방 정부뿐만 아니라 주 정부도 삼권 분립 체제를 철저하게 지키도록 강제하고 있습니다. 그래서 연방 정부는 상원과 하원으로 구성된 입법부와 대통령을 중심으로 하는 행정부, 연방대법원과 하위 법원으로 구성된 사법부로 이루어져 있고 각각 하는 일은 다음과 같습니다.

- 입법부: 상원과 하원 양원제 의회로 구성되어 있습니다. 연방법을 제정하고, 예산을 의결하고, 조약을 승인하거나 전쟁을 선포합니다.
- 행정부: 대통령을 중심으로 운영하며 입법을 제안하고 각료를 임명하며 의회로부터 승인된 조약을 체결합니다. 법안이 공포되기 전에 거부권을 행사하여 입법부를 견제합니다.
- 사법부: 대법원장과 대법관들을 상원의 승인을 거쳐 대통령이 임명합니다. 헌법에 위배되는 행정부의 행정 절차와 입법부의 법안을 무효로 하여 행정부와 입법부를 견제합니다.

우리나라의 삼권 분립

우리나라 헌법도 미국의 헌법처럼 삼권 분립을 보장하고 있습니다. 입법 권력은 국회에, 행정 권력은 대통령을 수반으로 하는 정부에, 사법 권력은 법원에 부여하여 서로의 권력으로 서로를 견제하게 하여 권력의 독점을 막고 있습니다.

예를 들어 국회는 국무총리와 국무의원 해임 건의권을 가지고 대통령이 행사하는 법률안을 거부할 수 있습니다. 법원은 위헌 법률 제청권을 가지고 헌법재판소에서는 탄핵 심판을 할 수 있어서 행정권을 견제할 수 있습니다.

그러나 대통령에게 국민투표 부의권, 긴급처분 및 명령권과 대법원장이 대법관을 임명할 수 있는 권력이 있어 삼권 분립의 정신이 제대로 구현되지 않을 때도 있습니다.

2장 몽테스키외는 어떤 사람인가?

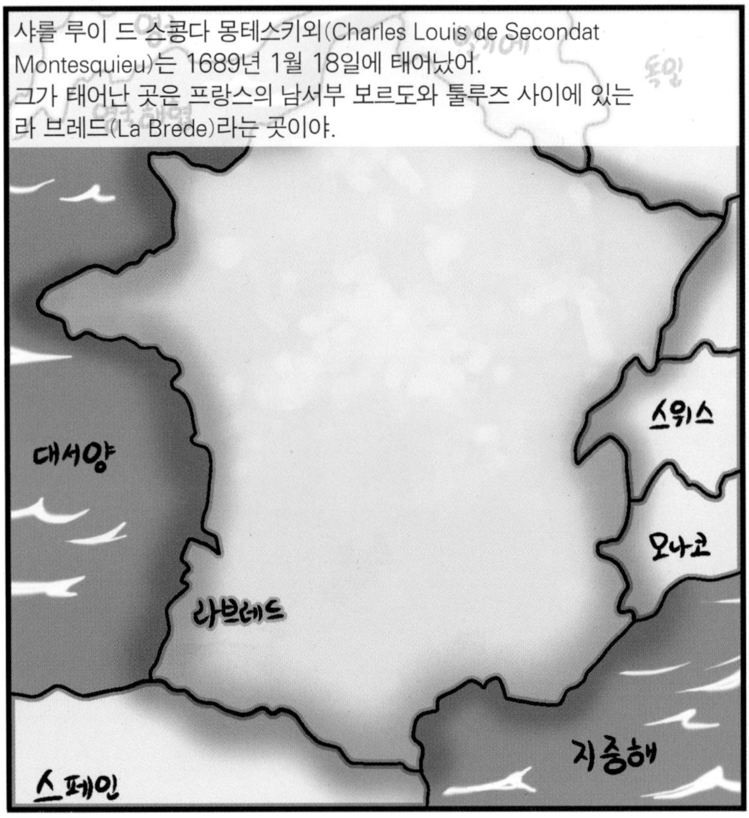

샤를 루이 드 스콩다 몽테스키외(Charles Louis de Secondat Montesquieu)는 1689년 1월 18일에 태어났어.
그가 태어난 곳은 프랑스의 남서부 보르도와 툴루즈 사이에 있는 라 브레드(La Brede)라는 곳이야.
대서양
스위스
모나코
라브레드
지중해
스페인

몽테스키외의 집안은 꽤 영향력 있는 귀족 가문이었어.

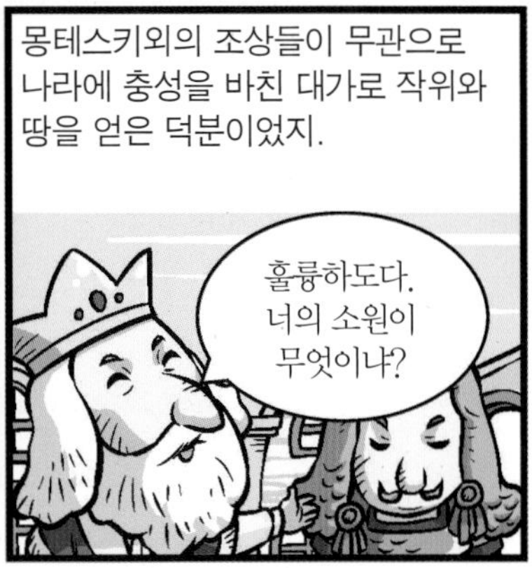

몽테스키외의 조상들이 무관으로 나라에 충성을 바친 대가로 작위와 땅을 얻은 덕분이었지.
훌륭하도다. 너의 소원이 무엇이냐?

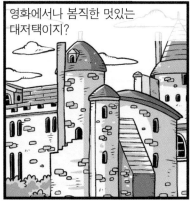

사진은 몽테스키외가 태어났던 샤토 드 라 브레드(Chateau De La Brede)야.
내가 봐도 우리 집 멋져.
영화에서나 봄직한 멋있는 대저택이지?
여기서 잠깐 '샤토 드 라 브레드(Chateau De La Brede)'라는 단어에 대해 알아보자. 이 단어의 뜻을 알면 몽테스키외의 가문에 대한 정보를 얻을 수 있거든.
샤토라는 단어는 어디서 많이 들어 봤는데? 어디서 들었더라?
샤토(Chateau)는 프랑스 말로 성(城, castle)이라는 뜻이야. 또 영주가 사는 대저택이라는 의미도 있어.
여기가 우리 집이야.
샤토라는 명칭은 아무에게나 붙여 주진 않아.
샤토
부러워.
샤토는 세계적인 와인 생산지인 보르도(Bordeaux) 지방에 일정한 면적 이상의 포도 농장을 가지고 있으며, 와인을 만들고 저장할 수 있는 시설을 갖춘 집안의 이름 앞에만 붙일 수 있어.
샤토는 보르도 지방에서 생산되는 와인을 상징하는 이름이기도 해.
샤토
19세기에 이 지역의 포도 농장과 와인 생산 시설을 사들인 신흥 세력들이 와인의 이미지를 고급화하기 위해 이 이름을 와인에 붙였거든.
이젠 비싸게 팔거야.
명품
그럼. 세 배는 받을 수 있을 거야.

지금도 샤토라는 이름이 붙은 프랑스 산 와인은 세계적으로 유명해.
가격도 꽤 비싸. 샤토 디켐(Chateau dyquem)이라는 150년 된 와인 135병이 경매로 나왔는데 우리나라 돈으로 1억 원에 낙찰되었다고 해.
그러면 술 한 병에 약 80만원이나 한다는 거야?
그 돈이면 도대체 맥주를 몇 병이나 살 수 있지?
몽테스키외가 살았던 저택에 샤토라는 이름이 붙었다는 사실은 그의 집안이 당시에 꽤 규모가 큰 포도 농장을 가지고 와인을 생산했으며,
샤토
라 브레드 지방에서 큰 영향력을 행사했다는 것을 의미해.
눈 깔아!
샤토
몽테스키외의 아버지의 이름은 '자크 드 스콩다'로 작위는 남작이었어.
조상으로부터 물려받은 상당한 재산과 땅을 가지고 있었어.
몽테스키외의 어머니 '마리 프랑수아 드 페늘'은 영국에서 태어났고 기독교 신앙이 깊었다고 해.
몽테스키외 어머니는 사업 수완이 아주 좋았어.
다음 달에 생산량을 조금 더 늘려야겠어요.

라 브레드 지역에서 생산된 와인을 프랑스 곳곳에 팔면서 수익을 많이 남겼거든. 덕분에 아버지의 재산은 더 늘어났어.
여보, 고마워. 덕분에 내 재산이 점점 불어나고 있어.
그런데 불행하게도 몽테스키외는 어머니의 사랑을 충분히 받을 수 없었어. 몽테스키외가 7살이 되던 1696년에 어머니가 세상을 떠났지.
몽테스키외는 10살이 될 때까지 주로 집에서 가정교사로부터 교육을 받았어.
그러다가 1700년 11살이 되던 해에 몽테스키외는 파리 가까이에 있는 모(Meaux) 지방의 콜레주에 들어갔어.
얜 누구야?
첨 보는 앤데?
콜레주(collège)는 13세기 무렵에 건립된 프랑스 교육 기관을 가리키는 용어야.
처음에는 학생들의 기숙 시설로 시작해서 점차 교육 기능까지 가지게 되었어.
주로 문법과 수사학, 그리고 철학 등을 가르쳤지.
문법
철학
수사학
콜레주에는 11세에서 19세 사이의 학생들이 다녔는데, 나이 차이가 많고 공부하는 기간도 각각 달랐어.
형, 다항식 배웠어?
그럼 배웠지.
당시 몽테스키외가 다녔던 콜레주는 보르도의 유명한 가문들이 후원하고 있었어.
필요한 게 있으면 말씀하세요.
매번 감사합니다.

또한 운영을 맡은 오라토리오회 사제들의 사상은 계몽주의적이었어.
오라토리오 회
인간의 무지와 몽매를 계몽하기 위해 열심히 가르쳐야 해.
그럼, 그럼.
그래서 몽테스키외는 콜레주에서 상당히 수준 높은 교육을 받을 수 있었지.
문법
수사학
5년 후 몽테스키외는 보르도 대학교에 입학했어.
보르도 대학교
그곳에서 법학을 전공했지.
법
그가 법학을 공부하게 된 데는 집안 배경이 중요하게 작용했던 것 같아.
그의 큰아버지인 장 바티스트 몽테스키외 남작이 보르도 고등 법원장으로 있었기 때문이야.
얘야, 나는 아들이 없단다. 그래서 네가 법학을 공부하여 나의 뒤를 이었으면 좋겠구나.
네, 큰 아버지.
몽테스키외가 법학을 전공한 일은 나중에 《법의 정신》을 쓰는 데 중요한 토대가 되었지.
이런 법은 조금 문제가 되겠는걸?
몽테스키외는 1708년 19살이 되던 해에 대학교를 졸업하고 변호사가 되었어.
전 정말 억울합니다.
걱정마세요. 제가 변호해 드릴게요.
그는 법률에 관한 실무를 쌓기 위해 파리로 갔어.
얘야, 법이라는 것은 실무가 매우 중요해. 파리에 가서 법에 관련하여 살아 있는 경험을 쌓고 오도록 해라.
네. 큰아버지. 가서 열심히 실무를 익히고 오겠습니다.

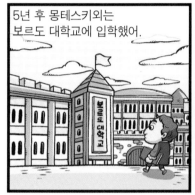

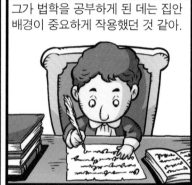

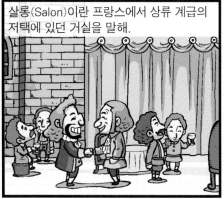

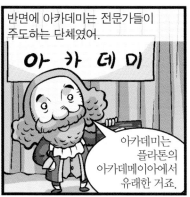

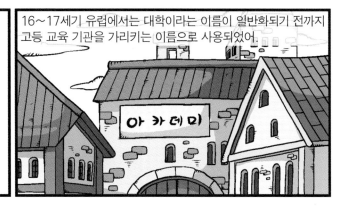

몽테스키외는 파리에 체류하는 동안 살롱이나 아카데미에
드나들면서 많은 사람들을 만났고 새로운 문화와 교양을 접했지.
살롱(Salon)이란 프랑스에서 상류 계급의
저택에 있던 거실을 말해.
18세기 전후로 살롱에서는 문학이나 예술, 정치 및 과학 등 다양한 영역의
전문가들이 모여 토론도 하고 음악과 그림을 감상했단다.
모임을 주재하던
이는 귀부인이었는데
귀부인의 역량에 따라 살롱의
수준이 정해졌지.
반면에 아카데미는 전문가들이
주도하는 단체였어.
아 카 데 미
아카데미는
플라톤의
아카데메이아에서
유래한 거죠.
아카데미에서는 과학이나 문학, 그리고 예술
분야의 전문가들이 모여 활발한 학문적 토론을
했어.
16~17세기 유럽에서는 대학이라는 이름이 일반화되기 전까지
고등 교육 기관을 가리키는 이름으로 사용되었어.
아 카 데 미
몽테스키외는 살롱과 아카데미에서
계몽주의 사상을 접했어.
오늘은
아카데미로
가 봐야겠어.
당시 계몽주의 사상가들은 '인간의 이성'을 절대적으로 신뢰했어.
그들은 인간이 스스로의 힘으로 생각하고 행동하여 인간 사회를 진보시킬
수 있다고 믿었지.
여러분! 스스로의 힘으로
과감하게 사고(思考)하세요.
그리고 행동으로 옮기세요!

계몽주의 사상가들은 구시대의 정치와 종교, 그리고 사회와 사상 등에 대해서 비판적이었어.
종교는 사람들에게 해롭습니다. 그러므로 우리는 무신론자들이 되어야 합니다.
프랑스의 절대 왕정은 결국에는 이 나라를 파멸로 이끌고 말 것입니다.
그래, 맞아. 인간의 합리적 이성 외에는 어떤 것도 믿을 수 없어.
프랑스의 계몽주의는 인간 이성에 근거하여 진보의 법칙을 추구했어.
진보의 법칙
계몽주의
그 진보의 법칙은 전 세계와 인류에 동일하게 적용될 수 있다는 확고한 믿음을 가지고 있었지.
진보란….
이들의 말처럼 이성을 중요하게 여기고 전통과 관습을 소중하게 여기는 사상을 보여 주는 멋진 책을 쓰고 싶군.
그러나 몽테스키외는 이런 생활을 계속할 수 없었어.
1714년 그의 나이 24살 때 아버지가 세상을 떠났기 때문이야.
몽테스키외는 아버지의 뒤를 이어 집안을 관리하기 위해 보르도로 돌아왔어.
역시 집이 좋군.

보르도에 오고 2년 후, 1716년에 26살의 몽테스키외는
장 드 라르티규라는 여성과 결혼을 했어.
그녀는 부유한 귀족 집안의 여성으로 재산이
많았어. 결혼 지참금으로 포도 농장을
가지고 올 정도였어.
이 땅을 드릴게요.
오~, 이렇게나 많이.
몽테스키외는 경제적으로 튼튼한
기반을 갖출 수 있었지.
이걸 다 어디에 쓰지?
아버지와 어머니로부터 물려받은 재산과 땅이 있는데, 부인까지
땅과 재산을 가져왔으니 말이야.
후후후. 이런 경제적인 뒷받침 덕분에 평생 제가 편안한 마음으로 학문적인 연구와 집필을 할 수 있었던 것 같습니다.
게다가 몽테스키외의 부인은 시어머니 못지않게 사업 수완이
좋았어.
이 땅도 포도 농장으로 만들어야겠어.
몽테스키외는 자신보다 경영 능력이 뛰어난
부인에게 재산 관리를 모두 맡겼어.
작년보다 수입이 두 배로 늘었군요.
그리고 자신은 파리를 드나들면서 다양한 분야에서
지식을 습득하는 데 열중했지.
왜 이렇게 늦으셨습니까?
미술관에 다녀오느라 늦었습니다.
몽테스키외는 부인으로부터 딸 둘과
아들 하나를 얻었어.

몽테스키외가 결혼한 다음 해에 그를 아껴 주던 큰아버지도 세상을 떠났어.
몽테스키외는 큰아버지가 남긴 유서에 따라 작위와 봉토를 물려받았어.
나의 조카에게 보르도 고등 법원장 자리와 나의 땅을 물려준다. 그를 제2대 몽테스키외 남작(Baron de secondat Montesquieu, 바론 드 세콘다 몽테스키외)이 되게 한다.
하지만 그는 보르도 고등 법원장 자리에는 큰 관심이 없었어.
법원장
몽테스키외 법원장님, 오늘도 일을 하지 않으실 건가요?
헤헤. 미안해요. 오늘도 미팅이 있어서요. 이만 가 볼게요.
그는 학문적 탐구를 하는 데 훨씬 더 마음이 가 있었기 때문이야.
이런 방법이 있었군.
이 일은 과학 혁명을 시작한 코페르니쿠스가 1592년에 외삼촌이 운영하던 폴란드의 폴라우엔부르크 성당의 담당 신부가 되었지만 성당 일에는 관심을 두지 않고 직접 천문대를 만들어 그곳에서 매일 밤 천체를 관측했던 것과 같았지.
오늘도 신부님은 미사 준비를 하지 않고 옥상에서 밤을 세울 모양이지?
몽테스키외는 법률과 거리가 먼 해부학이나 식물학, 그리고 물리학 등 다양한 학문을 두루 섭렵했어.
이것도 재미있고 저것도….
해부학
물리학
식물학
보르도에 있는 아카데미에 음향과 조수(潮水)에 관한 논문을 내기도 했지.

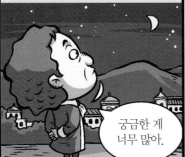

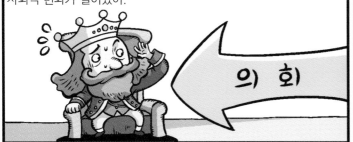

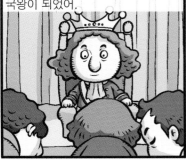

몽테스키외는 과학에만 관심을 가졌던 게 아니야.
궁금한 게 너무 많아.
인문학에도 관심이 많았어. 〈종교에 있어서의 로마 인의 정치〉와 〈사고들의 체계〉를 아카데미에서 발표하기도 했어.
종교에 있어서의 로마인의 정치
사고들의 체계!
한편, 몽테스키외가 보르도 고등 법원장으로 있을 무렵 영국에서는 나라를 다스리는 실질적인 주체가 국왕이 아니라 의회로 바뀌는 사회적 변화가 일어났어.
의회
이 일은 나중에 몽테스키외가 《법의 정신》을 쓰는 데 중요한 계기가 되므로 꼭 알아두어야 해.
법의정신
그럼 지금부터 영국에서 어떤 일이 일어났는지 살펴보자.
당시 영국의 국왕은 조지 1세(George I, 재위 1714~1727)로 독일 하노버 출신의 인물이었어.
저는 영어도 한 마디 못 하는데 영국의 국왕이 되었답니다.
1714년 앤 여왕이 세상을 떠나자 조지 1세가 왕위 계승법에 따라 국왕이 되었어.
앤 여왕이 따로 후사를 두지 못했기 때문이야.
나에게도 저런 아이가 있었으면….
조지 1세는 제임스 1세의 증손으로 왕위 계승 순위가 가장 높았거든.
1순위

조지 1세는 영국 국왕이었지만 영어는 전혀 할 줄 몰랐어. 그래서 영국보다 하노버에 있는 날이 더 많았어.
영국에서는 말이 안 통하니 살 수가 있어야지 뭐. 여기 오니까 속이 다 시원해지는군.
국왕이 또 독일 하노버로 갔다며?
도대체 그 사람은 영국 왕이 맞아? 앞으로 나라꼴이 어떻게 되려는 건지 걱정이다, 걱정이야.
음, 이대로 두었다간 큰 난리가 나겠군. 대책을 세워야겠어.
조지 1세를 대신하여 영국을 통치할 권력 기관이 필요했는데 바로 내각이었어.
내 각
내각은 왕이 지명한 총리가 중심이 되어 왕을 대신하여 나라를 다스렸어. 이때부터 '왕은 군림하나 통치하지 않는다.(The kings reign but not govern)'는 원칙이 수립되었지.
귀찮아. 그대들이 알아서 하시오.
내각은 의회를 지배하는 정당과 결합하여 정치를 했어. 때문에 의원내각제(parliamentary government)가 성립되었단다.
우리 힘을 합쳐 나라를 일으켜 봅시다.
좋지요.
내 각
정 당
이 일은 양당을 중심으로 하는 영국의 의회 정치가 발달하는 데 결정적인 계기가 되었어.
의회 정치
내각
정당
이 무렵 영국의 내각을 주도한 세력은 휘그(Whig)당이었어.
휘그당
반대 세력인 토리(Tory)당과 함께 영국의 의원내각제 발달에 크게 기여했지.
휘그당
토리당
휘그란 말은 스코틀랜드 말로 '폭도'라는 뜻이야.
폭도

1679년에 왕의 동생인 요크 공작(나중에 제임스 2세가 됨)을 왕위 계승권에서 제외하려는 법을 내놓았을 때 이 법에 찬성한 의원들을 경멸하려고 사용한 단어였지.
요크 공작은 영국의 국교인 성공회교인이 아니라 가톨릭교인이므로 영국의 국왕이 될 수 없습니다.
휘그당
요크 공작
반대편
어휴, 같은 기독교도면 되지 괜한 억지를 부리는군. 저 사람들은 의원이 아니라 폭도야! 폭도!
휘그당은 귀족을 지도자로 하면서도 돈 많은 상인의 지지를 받았어.
귀족
1714년의 조지 1세로 시작되는 하노버 왕가가 자리를 잡은 후에 휘그당은 약 50년간 전성기를 누렸지.
휘그당
50년
하노버 왕자
그러나 휘그당은 조지 3세 시대에 분열되었어.
휘
그당
이후 약 50년간은 토리당에게 정권을 빼앗겼지.
토리당
휘그당
휘그당은 19세기 이후 자유당으로 발전했어.
휘그당
자유당
휘그당의 반대 세력은 토리(Tory)당이야.
휘그당
토리당
토리당은 요크 공작의 즉위를 인정하는 세력이었어.
토리당
명예 혁명(1688년) 때는 잠시 휘그당과 연합했으나,

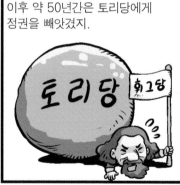

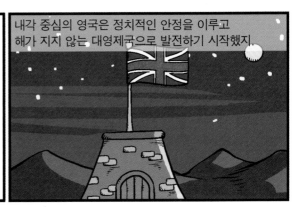

조지 1세 즉위 이후 약 50년 동안은
세력을 펼치지 못했어.
그러다가 프랑스 혁명 이후에 다시
세력을 얻었어.
프랑스 혁명
토리당
휘그당
이후 토리당과 휘그당이 번갈아 가며
영국의 정권을 맡았어.
정권
깃발 주세요. 이번엔 우리 차례예요.
그 결과 정기적인 정권 교체가 이루어지는 양당제가
확립되었어. 토리당은 나중에 보수당으로 발전했어.
휘그당
토리당
내각 중심의 영국은 정치적인 안정을 이루고
해가 지지 않는 대영제국으로 발전하기 시작했지.
반면에 몽테스키외의 조국인 프랑스는 절대 왕정에 균열이 생기면서
오히려 정치적으로는 불안한 시기를 맞이하게 되었어.
1715년에 프랑스의 절대 군주였던 루이 14세가 세상을 떠났지.
짐은 이제 죽는다. 그러나 국가는 영원하리라.
루이 14세가 통치하던 기간에
프랑스는 강력한 국가를 이루었어.
하지만 일반 백성들의 삶은 몹시
고달팠어.
오죽했으면 다음과 같은 대자보가
프랑스 곳곳에 붙었을까?

베르사유에 계시는 우리 아버지.
아버지의 이름은 이제 거룩히 여겨지지 않습니다.
아버지의 뜻은 땅에서나 바다에서나
그 어디서나 당최 이루어지지 않습니다.
제발, 우리에게 일용할 양식을 주시옵소서.
더 이상, 맹트농 부인의 시험에 들지 마시옵소서.
그리고 재무총감에게서 우리를 구하옵소서.
아멘!
후후. 누군지 몰라도 재치있게 잘 썼군.
호호호. 그러게 말이에요. 속이 시원하군요.
이 대자보는 기독교의 주기도문에 빗대어 루이 14세를 비방하는 것이었어.
이 글을 쓴 놈을 잡아 와라!!
당시 2천만 명이 넘는 프랑스 국민들은 크게 지쳐 있었어.
살아가는 데 희망이 없어.
전쟁은 끊이지 않았고 덕분에 세금이 점점 많아졌거든.
세금
엎친 데 덮친 격으로 기근과 전염병까지 왔어. 1710년 한 해에만 30만 명 이상이 병으로 죽었어.
베르사유의 아버지는 그들에게 여전히 절대적인 존재였어.
그러나 백성들의 삶은 괴로웠고, 그 원망은 모두 왕으로 향했지.
왜 그래! 내가 뭘 잘못했다고?
당장에라도 대규모 폭동이 일어날 것 같은 기운이 프랑스를 짓눌렀어.

이런 시기를 살던 몽테스키외는 프랑스의 현실에 대해 비판적인 태도를 갖지 않을 수 없었어.
이런 생각으로 쓴 책이 바로 《페르시아 인의 편지》 입니다.
페르시아인의 편지
반면 몽테스키외는 영국의 선진적인 정치 제도를 동경했어. 조국인 프랑스도 영국처럼 의회와 법이 다스리는 나라가 되기를 소망했지.
그래서 쓴 책이 바로 《법의 정신》 이지요.
1717년 28살이 되는 해에 몽테스키외는 《페르시아 인의 편지》를 집필하기 시작했어.
《페르시아 인의 편지》는 위스벡(Usbek)라는 페르시아 인의 입을 빌려 당시 프랑스의 전제 군주였던 루이 14세를 비판한 책이었어.
잘한 게 하나도 없어!!
《페르시아 인의 편지》는 익명으로 파리에서 출간되었어. 도서 검열이 무서웠던 시기였기 때문이야.
페르시아인의 편지
《페르시아 인의 편지》처럼 국왕을 비판하고 사회를 풍자하는 책을 출판하는 일은 대단히 큰 용기가 필요한 일이었어.
대단한 모험을 한 셈이지요.
《페르시아 인의 편지》가 어떤 내용인지 간단히 살펴볼까?
페르시아인의 편지
페르시아 인인 위스벡은 적들을 피해 프랑스로 도망쳤어.
그는 파리에서 친구인 리카와 함께 살면서

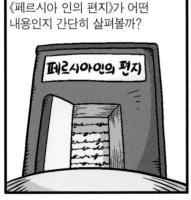

페르시아에 있는 친구들과 하인들, 그리고 자신의 하렘에 있는 후궁들과 계속 편지를 주고받아.
편지니까 당연히 특별한 줄거리는 없고,
당시 프랑스의 연극이나 카페, 교황과 종교재판, 전쟁 등에 대한 다양한 이야기가 나와.
너무 일반적인 얘긴가?
몽테스키외가 이 책을 통해 말하고자 했던 것은 크게 세 가지 정도로 정리할 수 있을 것 같아.
아, 답답해. 잘 들어. 여기 보따리가 세 개 있어….
첫째, 그는 인간의 감성을 중요하게 여겼어. 프랑스 사회의 계몽주의가 지나치게 인간의 이성을 강조했기 때문인 것 같아.
인간은 이성과 감정의 균형을 잘 맞추어야 합니다.
이성
감정
둘째, 동양적 에로티시즘을 적극적으로 묘사했어. 동양적 신비스러움에 호감을 가진 서양인들의 시각을 대변한 것이지.
성적 억압이 심한 프랑스 사회의 위선을 꼬집었습니다.
위선
셋째, 서구 중심주의적 시각에서 동양의 전제정치를 비판했어.
동양의 전제청치를 비판하면서 프랑스의 전제정치를 경계한 것이지요.
이를 통해 몽테스키외는 명예와 법치를 중시하는 서양의 우월함을 드러내고 싶은 생각도 있었던 것 같아.
무식한 것들….

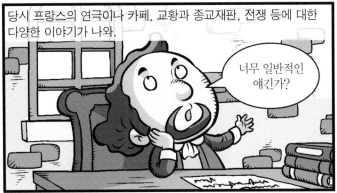

몽테스키외는 《페르시아 인의 편지》를 통해 루이 14세의 전제정치를 철저하게 공격했어.
페르시아 인의 편지
《페르시아 인의 편지》가 출간되었을 때에는 루이 14세는 이미 저 세상 사람이었고, 어린 루이 15세를 대신하여 오를레앙 공 필리프 2세가 섭정을 하고 있었어.
루이 14세가 살아 있었다면 몽테스키외는 뼈도 못 추렸을 겁니다.
《페르시아 인의 편지》의 출간은 성공적이었어. 이 책은 '빵처럼 팔렸다.'고 할 정도로 많은 사람들의 관심을 끌었거든.
저 책을 쓴 사람이 몽테스키외라는 분이라면서요?
네. 익명으로 출간을 했지만 실제로는 몽테스키외라는 젊은이가 썼답니다.
이 책으로 몽테스키외는 프랑스의 유명인사가 되었어.
《페르시아 인의 편지》를 쓴 사람이 바로 저 남자야.
이 책으로 몽테스키외는 파리의 사교계와 문화계의 지식인들과 친분을 맺을 수 있었어.
그리고 강력한 후원자들의 도움으로 1728년 1월 24일 아카데미 회원으로 선출되었어. 몽테스키외의 앞길은 탄탄대로였지.
아카데미
돈 많지, 집안 좋지, 이제는 아카데미 회원이라는 명예도 얻었으니 젊은 나이에 더 바랄 것이 없겠군.
하지만 몽테스키외는 《페르시아 인의 편지》를 발표한 후에 오히려 진로 문제로 고민에 빠졌어.
페르시아 인의 편지
음, 앞으로 무얼 하면서 살면 좋을까?
몽테스키외는 우선 적성에 맞지 않는 법원장 자리를 경매로 팔아치웠어. 그리고 연구와 저술 활동에 집중했지.
자~ 팔아요, 팔아. 법원장을 팝니다.
법원장

이렇게 방에서 책만 봐서는 좋은 글이 나올 수 없어. 내가 구상하는 책을 쓰려면 넓은 세상을 두루두루 다니며 견문을 넓히는 것이 좋겠어.
부인, 내가 없는 동안에 우리 영지와 포도 농장 관리를 잘해 주시오.
아무 염려하지 마시고 좋은 여행이 되세요.
그의 여행은 3년에 걸쳐 이루어졌는데, 독일과 오스트리아, 헝가리, 이탈리아, 네덜란드, 영국 등을 돌아다녔어.
몽테스키외는 특별히 영국을 여행하는 동안 많은 경험을 했어. 영국의 귀족들과 친분을 나누었고,
자네 정말 대단하구만~.
영국의 왕립학회 회원으로 선출되기도 했으며,
왕립학회
영국 의회에 참석하여 의원들과 토의를 하기도 했고,
프리메이슨* 단원으로 가입하기도 했어.
프리메이슨
* 프리메이슨(Freemason) : 18세기 초 영국에서 만들어진 세계인의 우애를 도모하는 비밀단체
한편 엄청나게 많은 책을 사들였어.
영국에 머물었던 이 기간은 몽테스키외의 생애 중에서 가장 중요하고 유익한 시기였어.

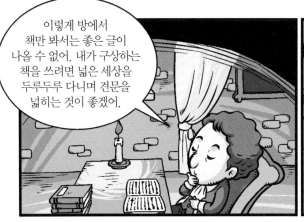

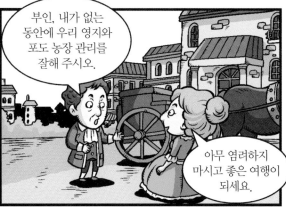

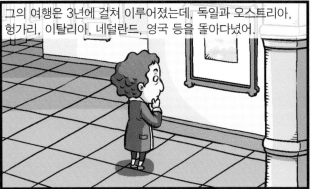

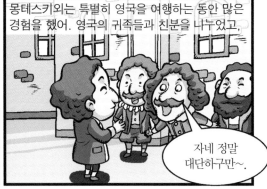

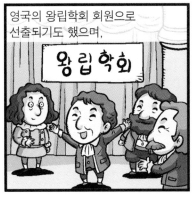

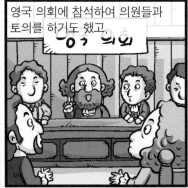

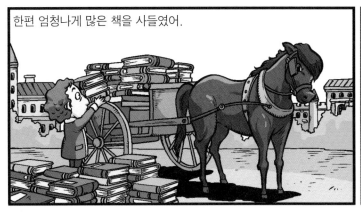

그는 여행 기간에 꼼꼼하게 자신의 행적과 느낌을 노트에 기록했는데, 그는 노트에 영국에 대한 인상을 다음과 같이 적었어.
영국은 현재 세계에서 가장 자유로운 나라다. 나는 어떠한 공화국도 제외하지 않고 그렇게 말한다. 내가 자유롭다고 말한것은 군주의 권력이 법률에 의해 견제되고, 제한되고 있으므로 군주는 그 누구에게도 어떠한 해악을 주는 권력을 가지고 있지 않기 때문이다.
그의 여행 기록은 나중에 《법의 정신》을 집필하는 데 중요한 기초 자료가 되었어.
법의 정신 자료
프랑스로 돌아온 몽테스키외는 여행에서 얻은 다양한 자료를 정리하면서 본격적인 집필 작업을 준비했단다.
문학쪽은 그쪽으로 이동해 주세요.
그는 세상 사람들이 자신이 무슨 일을 하는지 눈치 채지 못하게 했어. 몇 명의 친구들만 그가 무얼 하는지 알고 있었지.
저 친구는 매일 집에서 뭘 하는 거야?
몽테스키외는 라 브레드에서 집필에 열중했어.
가끔 파리에 나가 왕립 도서관에서 자료를 찾거나, 살롱에 나가 사람을 잠깐 만났을 뿐이야.
바쁜데 왜 자꾸 나오라고 그래?
하지만 영국에서 온 사람들을 만나는 일에 특별히 많은 신경을 썼어.

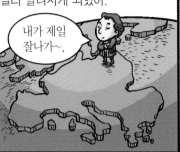

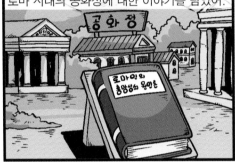

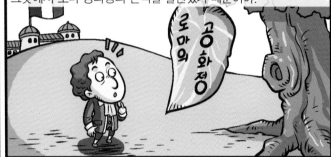

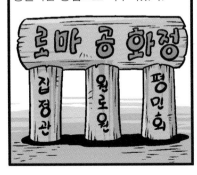

1734년, 나이 45살 때 그는 《로마 인의 위대함과 그 쇠락의 원인에 관한 고찰》이라는 책을 출간했어.
대박이에요. 엄청 많이 팔리고 있습니다.
이 책은 우리나라에서는 《로마 인의 흥망성쇠 원인론》이라는 제목으로 번역되었지.
로마인의 흥망성쇠 원인론
이 책의 출간으로 몽테스키외의 이름은 유럽 대륙 전체로 널리 알려지게 되었어.
내가 제일 잘나가~.
몽테스키외는 《로마 인의 흥망성쇠 원인론》에 로마 시대의 공화정에 대한 이야기를 담았어.
공화정
로마인의 흥망성쇠 원인론
그가 이탈리아를 여행하던 중에 베네치아를 방문한 적이 있었는데, 그곳에서 로마 공화정의 흔적을 발견했기 때문이야.
로마의 공화정
공화정(共和政)은 군주가 아닌 개인이나 집단이 나라를 통치하는 정치 스타일을 말해.
나도 뭔가 하게 해 줘~.
공화정을 실시했던 대표적인 나라는 로마였어. 베네치아는 로마 시대 공화정의 전통을 가장 마지막까지 간직하고 있었던 거야.
이 촛불은 내가 지킨다.
공화정
로마 공화정은 집정관과 원로원과 평민회를 중심으로 이루어졌어.
로마 공화정
집정관
원로원
평민회
집정관(통령)은 2명이었으며 임기는 1년이었고 행정과 군대를 관할했지.
원로원은 300명의 귀족으로 구성되었고 실제적으로 권력의 중심이었어.

평민회는 가장 민주적인 집단으로
호민관을 선출했고, 재판을 담당했어.
호민관
그러나 로마의 공화정은 제 1·2차 삼두 정치를 거쳐
기원전 27년 아우구스투스가 제정을 실시하면서 막을 내렸지.
공화정을 폐지하라.
몽테스키외는 《로마 인의 흥망성쇠 원인론》에서 로마의 공화정을
혼합정체라고 했어.
혼합정체
집정관
원로원
평민회
로마 공화정의 집정관은 군주정의 특성을, 원로원은 귀족정의 특성을, 평민회는 민주정의 특성을 가지고 있지요. 로마 공화정은 이러한 특성들이 모두 결합되어 있다고 볼 수 있습니다.
로마의 귀족과 평민 간의 다툼과 갈등이 오히려 공화국의 건강함을 유지하는 데 큰 역할을 했습니다.
또한 로마 인의 덕성이 조국을 위한 헌신으로 표출되어 끊임없는 로마의 팽창에 기여했습니다. 그 결과 로마는 거대한 제국으로 발전할 수 있었지요.
하지만 몽테스키외는 로마의 팽창이 오히려
로마의 몰락을 가져왔다고 했어.
제국의 막대한 부는 빈부 격차를 심화시켰고, 사회를 분열시켰으며 로마 시민의 덕성을 부패시켰습니다. 이것이 바로 로마 몰락의 원인이 되었지요.
《로마 인의 흥망성쇠 원인론》의 성공적인 출간 이후
몽테스키외는 명실공히 계몽주의를 대표하는
유력한 학자가 되었어.
계몽주의
하지만 몽테스키외는 여기에 만족하지 않았고,
더 훌륭한 책을 내기 위해 계속 노력했어.
필승

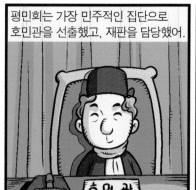

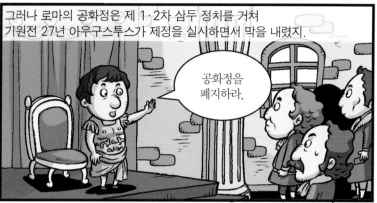

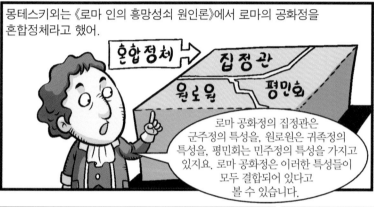

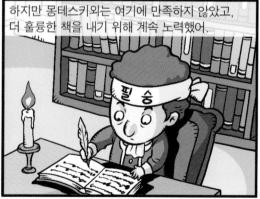

그래서 쓴 책이 바로 그의 대표적인
저서인 《법의 정신》이야.
법의 정신
저는 이번에 쓰는 책이
대작이 될 거라고 믿습니다.
20년이나 되는 노력이
들어갔거든요.
몽테스키외는 1740년 무렵에
《법의 정신》의 초안을 잡았어.
1743년에 원문을 거의 다 썼어. 하지만 1746년 12월까지 계속하여
수정하고 보충하면서 완벽한 책을 만들기 위해 애를 썼어.
아무래도
부족한 구석이 많아.
내 인생을 걸고 출간하는
책이니까 완벽해야 해.
다시 전체적으로
훑어보고 보충을
하도록 하자.
몽테스키외는 1746년에
출간 직전까지 갔다가 다시 2년을
더 투자하여 책의 완성도를 높였어.
1748년 드디어 《법의 정신》이 출간되었어.
1,086쪽 31권에 이르는 방대한 분량의 책이었지.
법의정신
법의 정신
31
정신
18
그의 책은 많은 사람들로부터
높은 평가를 받았어.
법
의
정
신
정말 대단한
책이야.
그러나 몽테스키외는 그 평가를
뒤로한 채 세상을 떠나야만 했어.
긴 세월 책을 쓰면서 건강을 제대로
돌보지 못했기 때문이야.
결국 그는 시력을 거의 잃은 상태에서
1755년 파리에서 눈을 감았어.

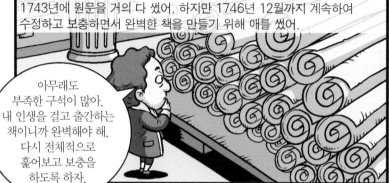

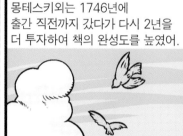

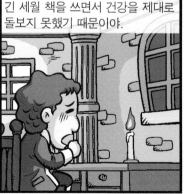

프랑스의 살롱 문화

고대 그리스의 도시 국가들은 그 중심에 '아고라'를 두었습니다. 아고라는 광장과 사교의 의미를 지닌 곳으로 시민들이 모여 회의를 하던 장소였습니다. 그곳에서 시민들은 통치자들의 연설을 듣거나 정치에 대해 자유롭게 토론했습니다. 민주정을 했던 아테네 시민들은 도시 국가들 중에서 가장 큰 아고라를 둔 것을 자랑스럽게 여겼다고 합니다. 이러한 광장 문화는 로마 시대의 플라자와 포럼을 거쳐 유럽인들에게 중요한 문화로 전승되었는데 대표적인 것이 프랑스의 살롱이었습니다.

프랑스 지성의 산실이었던 살롱(Salon)

프랑스의 살롱 문화는 프랑스가 유럽에서 최강국으로 군림하던 17세기와 18세기에 크게 발전했습니다. 살롱은 당시 프랑의 지성의 중심지였습니다.

살롱에서 열린 독서회 전경

살롱에서는 수준 높은 토론회가 열렸습니다. 인간의 본질에 대한 고찰과 지혜로운 처세술에 대해서 이야기했고, 우정과 행복, 그리고 연애에 대한 토론했습니다. 어떤 때에는 시나 소설 등 문학을 주제로 하여 깊이 있는 대화를 나누었습니다.

살롱의 주인이었던 귀부인들은 재능이 뛰어난 시인들과 소설가들을 후원했으며 그들을 불러 작품을 낭독하게 하고 새로운 작품을 발표하는 기회를 주었습니다. 그러면 참석자들이 작품을 감상하고 비평했습니다. 또한 살롱은 연극 무대가 되기도 했습니다. 또한 출판업자들과 연결하여 책을 출판하는 기회를 주기도 했습니다. 살롱은 귀족들의 단순한 사교장이 아니었음을 알 수 있습니다.

17세기 들어 프랑스 살롱은 문예 살롱으로 불리며 프랑스 문학의 발전을 이끌었습니다. 그래서 프랑스의 대표적인 문학가인 볼테르는 살롱을 국민의 취미 형성에 이바지하는 곳이라 높이 평가했습

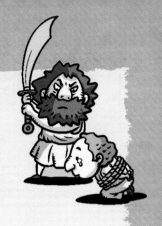

니다. 18세기에 들어서는 당시에 금기시하던 종교에 대한 비판도 논의되었습니다. 철학적인 주제를 깊이 토론하기도 했습니다. 그래서 18세기 프랑스 살롱을 철학 살롱이라고도 합니다. 당시 프랑스 살롱을 거쳐 간 대표적인 인물로 몽테스키외, 볼테르, 루소, 디드로, 흄 등을 들 수 있는데 이들은 인류의 지성사에 큰 획을 그은 위대한 사상가들이었습니다.

살롱의 전통을 이어받은 카페

19세기 들어 귀족 문화가 쇠퇴하면서 프랑스 살롱은 사양길에 접어들었습니다. 계몽주의를 겪고 프랑스 대혁명이 일어난 후 귀족보다 시민들의 문화 수준이 높아지면서 살롱을 잇는 새로운 문화 공동체가 탄생했습니다. 그것은 바로 카페(Café)입니다. 수많은 시인과 소설가, 화가, 철학자들이 카페에 모여 향기로운 커피 한 잔을 탁자 앞에 두고 자신의 생각을 이야기하고 예술적 영감을 얻고 글을 썼습니다.

프랑스 현대 철학의 대표적인 인물인 사르트르와 보부아르가 즐겨 찾았던 카페

대표적인 인물로 프랑스 현대 철학을 대표하는 사르트르와 보부아르를 들 수 있습니다. 그들은 파리에 있는 '레 되 마고'라는 카페에서 20세기에 길이 남을 책들을 썼습니다.

이외에도 바이런과 쇼펜하우어, 니체, 모네, 푸르스트, 괴테 등 수많은 철학자와 문학가 그리고 예술가들이 카페에서 자신들의 사상, 문학관, 예술관을 이야기하며 유럽 문화를 발전시켰습니다.

3장 법(法)이란 무엇인가?

법

법이 필요한 까닭

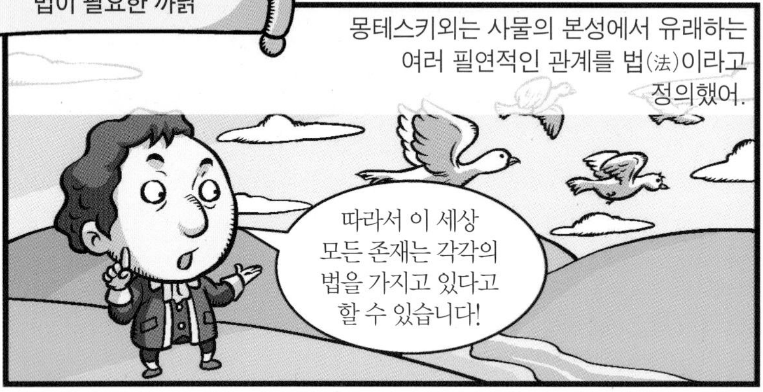
몽테스키외는 사물의 본성에서 유래하는 여러 필연적인 관계를 법(法)이라고 정의했어.
따라서 이 세상 모든 존재는 각각의 법을 가지고 있다고 할 수 있습니다!

이 말은 신에게는 신의 법이 있고,
지구 옆에 인간별을 하나 더 만들도록 하라~.

천사는 천사의 법을 가지고 있으며,
착한 사람들이 너무 힘들어 하는 것 같아. 도와줘야지.

물질세계는 물질세계의 법을 가지고 있다는 말이야.
물은 언제나 위에서 아래로 흐르지.

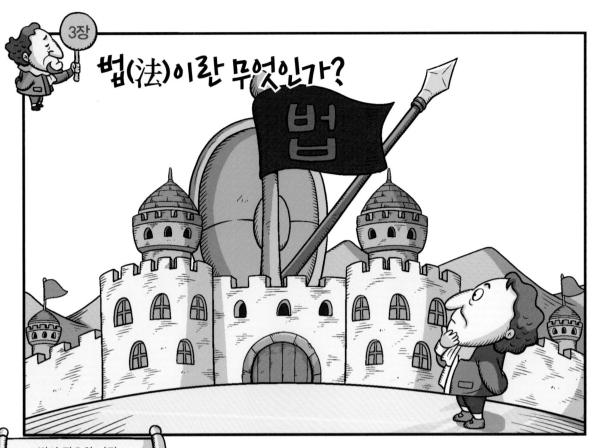

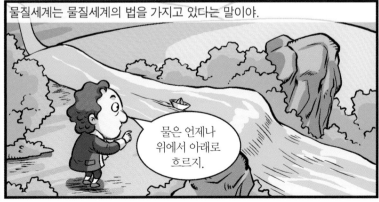

동물들 역시 그들 나름대로의 법을 가지고 있어.
하루종일 일만 하고 힘들어 죽겠네.
애 낳는 건 쉬운 일인줄 알아?
여왕개미는 알을 낳고, 일개미는 일만 해.
물론 인간도 인간의 법을 가지고 있지.
아이들은 부모님을 공경해야 하는 거야.
어이쿠, 시원하다.
세상의 모든 일은 이처럼 법에 따라서 진행돼.
법
이 일에는 신(神)도 예외가 없어. 신은 창조자로서 우주를 만들었어. 하지만 우주를 주관할 때는 신도 법에 따르지.
이쪽에 태양을 만들자….
신이 법에 따라 우주를 운영하는 것은 법의 의미를 잘 알기 때문이야.
법
법에 따라 우주를 주관해야 우주는 질서를 지키며 움직일 수 있거든.
너 아직 나올 때 안됐거든?
만약에 우주가 법에 따라 움직이지 않으면
우주는 뒤죽박죽이 될 것이고
어? 오늘은 태양이 서쪽에서 뜨네?
미래는 예측할 수 없게 될 거야.
여름이 지나면 가을이 와야 하는데 겨울이 오잖아?

신이 만든 우주가 정교하게 움직이지 않는다면 신의 체면은 말이 아니겠지?
밤에 해가 뜨다니 잠을 잘 수가 없어!!
도대체 신이 있긴 있는 거야?
아무도 신의 권능과 존엄을 믿지 않을 거야.
12월
겨울이 이렇게 더울 수 있는거야?
난 오늘부터 신을 믿지 않을래.
우주를 이루는 물체의 운동도 마찬가지야.
운동을 하는 물체의 질량과 가속도는 깊은 관계가 있어.
같은 힘(F)을 주었을 때 질량(m)이 무거운 물체일수록 가속도(a)는 느려.
F
m
a
2F
m
2a
F
2m
a/2
같은 질량을 가진 물체의 경우에 주는 힘이 클수록 속도가 빨라지지.
큰 돌이 빨리 떨어진다!!
우주가 지성을 갖지 않았음에도 불구하고 물체가 이런 운동을 계속하는 것을 보면 불변의 규범이 있음이 분명해.
우주는 만유인력의 법칙에 따라 어제나 오늘이나 영원토록 동일한 방법으로 움직입니다.
그러므로 우리 눈에 보이는 이 세상의 모든 것들이 우리가 알지 못하는 운명의 결과로 생긴 것이라는 주장은 믿을 수가 없어.
오늘 내가 이렇게 죽을 운명인 건가?
이것은 마치 우리 인간이 맹목적인 운명에 의해 세상에 태어난 것이라는 주장과 같은 거야.

지성을 가진 존재인 인간은 스스로 만든 법을 가지고 있어.
이럴 땐 사형이야!
법
물론 인간은 자신이 만들지 않은 법도 가지고 있지.
내가 만든 법
내가 모르는 법도 있나?
법
인간이 존재하기 전에도 이미 법은 있었거든.
자연에 존재하는 것들은 서로 깊은 관계를 맺고 있고,
관계가 있는 곳에 법이 있기 때문이야.
앞에서 몽테스키외가 법이란 사물의 본성에서 유래하는 여러 필연적인 관계라고 한 것 기억하지?
난 물 없으면 못 살아.
이 말은 실정법(實定法)이 존재하기 전에 이미 법의 성격을 가진 것이 있었다는 말이야.
실정법
법
실정법은 인간이 만든 법으로서 특정한 시대와 사회에서 구체적이고 실질적인 효력을 지니는 법 규범을 말해.
어딜~.
법
실정법
어이쿠.
오늘날 의회가 만들고 행정부가 집행하고 있는 다양한 종류의 법이 여기에 해당하는데,
법 하나 추가요~.
의회
실정법
헌법을 비롯하여 다양한 법률이나 조례 등이 있어.
상법
공법
저작권법
행정법
민법
형법
선거법
소송법
헌법
의회

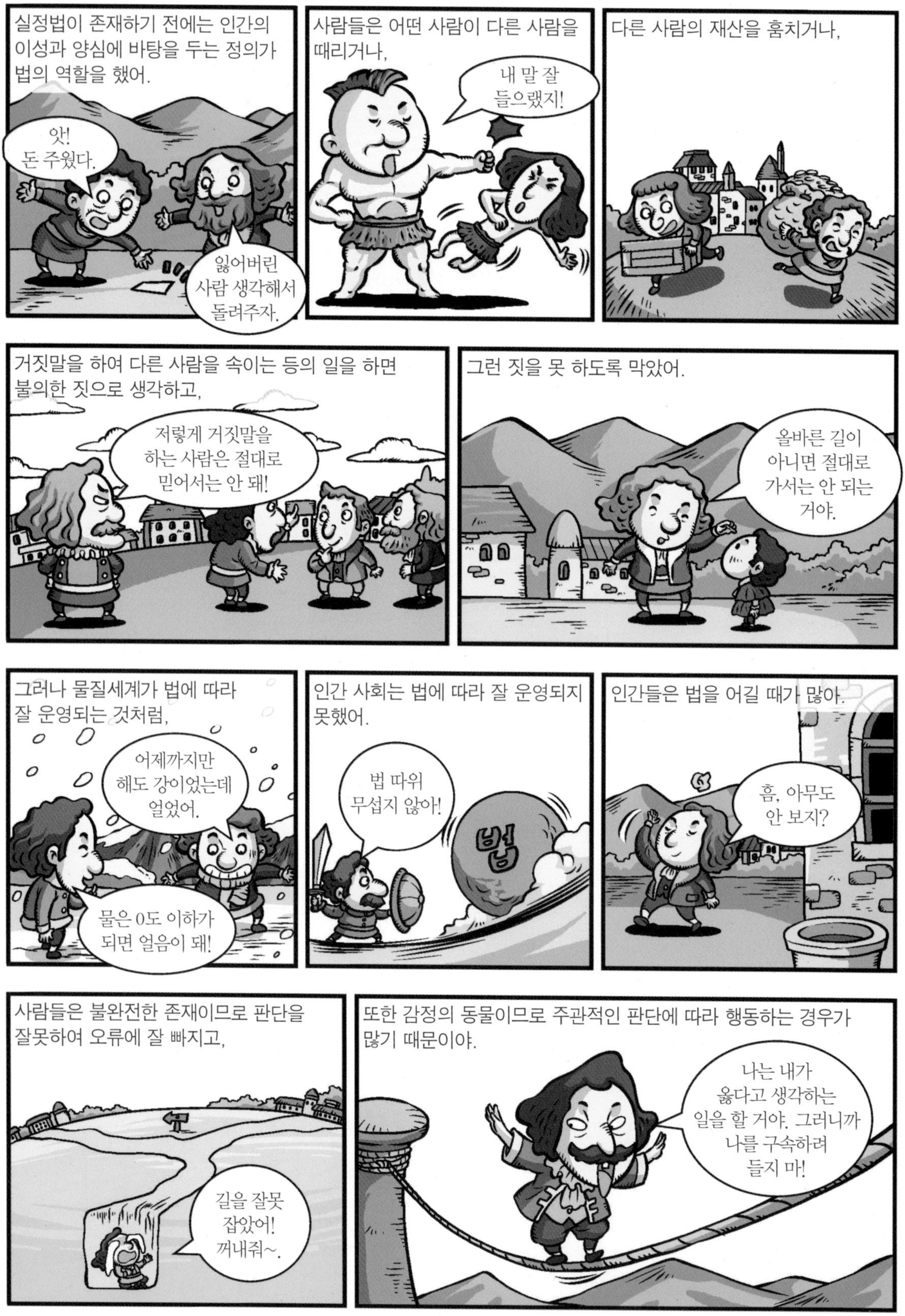
실정법이 존재하기 전에는 인간의 이성과 양심에 바탕을 두는 정의가 법의 역할을 했어.
앗! 돈 주웠다.
잃어버린 사람 생각해서 돌려주자.
사람들은 어떤 사람이 다른 사람을 때리거나,
내 말 잘 들으랬지!
다른 사람의 재산을 훔치거나,
거짓말을 하여 다른 사람을 속이는 등의 일을 하면 불의한 짓으로 생각하고,
저렇게 거짓말을 하는 사람은 절대로 믿어서는 안 돼!
그런 짓을 못 하도록 막았어.
올바른 길이 아니면 절대로 가서는 안 되는 거야.
그러나 물질세계가 법에 따라 잘 운영되는 것처럼,
어제까지만 해도 강이었는데 얼었어.
물은 0도 이하가 되면 얼음이 돼!
인간 사회는 법에 따라 잘 운영되지 못했어.
법 따위 무섭지 않아!
법
인간들은 법을 어길 때가 많아.
흠, 아무도 안 보지?
사람들은 불완전한 존재이므로 판단을 잘못하여 오류에 잘 빠지고,
길을 잘못 잡았어! 꺼내줘~.
또한 감정의 동물이므로 주관적인 판단에 따라 행동하는 경우가 많기 때문이야.
나는 내가 옳다고 생각하는 일을 할 거야. 그러니까 나를 구속하려 들지 마!

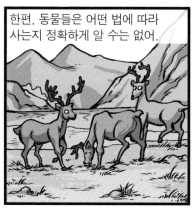

한편, 동물들은 어떤 법에 따라 사는지 정확하게 알 수는 없어.
동물들은 쾌락의 본능에 따라 암수가 만나 자손을 낳고,
자손을 키우기 위해 여러 가지 노력을 해.
그렇지만 어떤 동물들은 이런 자연의 법을 따르지 않아.
쟤들이 내 새끼를 잘 키워줄 거야.
오히려 오성(惡性)도 감성도 없는 식물이 법을 더 잘 지키며 살아.
동물은 우리 인간이 가지고 있는 지성과 같은 우월한 능력이 없어.
하지만 인간이 가지지 못한 것을 가지고 있어.
솔직히 말해. 넌 뭘 가지고 있지?
동물은 인간처럼 희망 같은 것을 가지고 있지는 않아.
우리는 어디에서 왔다가 어디로 가는 것인가….
또한 공포같은 감정도 가지고 있지 않아 두려움을 잘 몰라.
얜 뭐야?
그들도 인간처럼 언젠가는 죽어. 하지만 죽음의 의미를 잘 모르므로 죽음을 있는 그대로 받아들여.
반면에 인간은 죽음을 알기 때문에 죽음을 무척 두려워하지.
으악, 살려 줘!

인간도 물질적인 존재야.
너도 우리랑 다르지 않아~.
우리 몸도 결국에는 나트륨이나 칼슘과 같은 물질로 이루어져 있잖아?
인체를 구성하는 주요원소
나트륨1.Na 0%
황.S.0%
칼륨.K.0%
인.P.1%
칼슘.Ca.2%
질소.N.3%
수소.H.10%
탄소.C.18%
염소.Cl.0%
요오드.I.0%
마그네슘.Mg.0%
철.Fe.0%
망가.Mn.0%
구리.Cu.0%
그래서 인간도 다른 물질처럼 자연법을 따라야 해.
높은 곳에서 떨어지면 몸이 망가지고,
나는 슈퍼맨이다.
쯔쯧 불쌍한 놈, 영화를 너무 많이 봤군.
불에 들어가면 몸이 타는 법이지.
와~, 좋아하는 불이다~.
자신이 무슨 불사신이라고?
하지만 인간은 물질이나 동물과는 달리 지성을 갖춘 지적 존재야.
아무리 배고파도 땅에 흘린 건 안 먹어.
쳇~.
지적 존재로서 인간은 신이 정한 법칙을 끊임없이 거슬렀어.
서로 사랑하라! 평화롭게 살아라!
흥, 나는 나만 사랑해.
싸우자! 싸워서 이기는 놈이 저 땅을 가지는 거야.
또한 인간은 스스로 정한 법칙들을 수시로 바꿔.
흠. 이번 전쟁에서 우리나라가 이겼으니, 여기까지가 우리나라 땅이야.
우리나라 땅
이번에는 참는다. 다음 전쟁에서 이기면 너희 나라는 온통 우리 것이 될 거야.

인간은 유한한 지성을 가지고 있으므로 무지나 오류를 피하기 어려워.
지구가 네모라는 걸 증명해 보이겠어!
또한 자기가 가지고 있는 지식이 불완전하다는 사실을 자주 잊어.
많이 쌓아서 가져갈수록 일이 빨리 끝나~.
쓰러지면 줍느라고 시간이 더 걸릴 텐데…. 괜찮겠지?
게다가 복잡한 감성을 가지고 있으므로 늘 무수한 정념에 사로잡혀.
정념
정념
정념
정념
아~ 답답해.
인간은 사회생활을 하도록 창조되었지만
언제나 자기중심적이어서 이웃의 존재를 잊어버려.
저들과 멀리할 거야~.
이러한 이유로 인간들은 실정법을 만들어서
실정법
서로가 그 법을 지키게 하는 거야.
실정법
그렇지 않으면 인간 사회는 붕괴되고 말 거야.

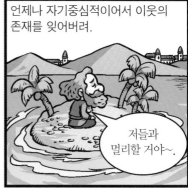

자연법이란?
몽테스키외는 모든 법 이전에 자연의 법, 즉 자연법(自然法)이 있다고 했어.
자연법은 인간 사회가 제대로 만들어지고 실정법이 생기기 전에 인간이 지켜야 할 법이었습니다.
자연법은 인간의 마음속에 창조자가 존재한다는 생각을 심어 주었고, 인간이 그 창조자를 의지하게 만들었어.
절, 잡아 주세요~.
그래~. 나에게 기대거라~.
자연 상태에서 인간은 지식이 별로 없었어.
어? 하늘에서 물이 떨어지네?
대신에 자연을 관찰하는 인식 능력이 있었지.
저거 어제도 있었는데 오늘도 있네?
그러므로 인간이 맨 처음 가진 관념은 사변적 관념이 아니라
사변적 관념
이게 뭐 하는 건지도 모르겠어.
보고 느끼는 것으로 형성된 관념이었을 거야.
먹구름이 오면 비가 내리던데….
인간이 처음 가지게 된 관념은 자신의 존재의 기원과 이유를 탐구하는 것은 아니었겠지.
나는 왜 태어났고, 존재의 이유가 무엇일까?
?
어떻게 하면 잘 먹고 잘 자고 안전하게 살 것인가? 하는 존재의 유지에 대한 관념이었을 거야.
아유 배고파, 어디 먹을 것이 없나?
야! 저기 나무에 열매가 달려 있어.
아유, 맛있어.

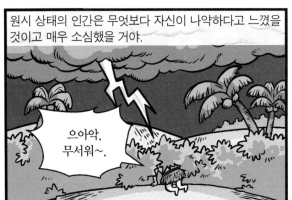

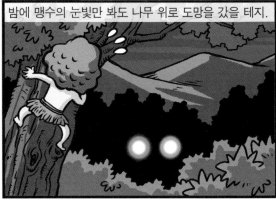

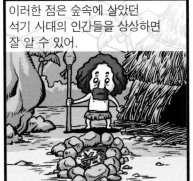

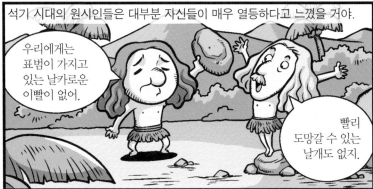

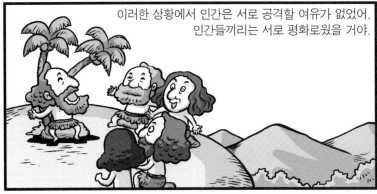

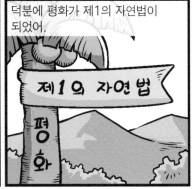

원시 상태의 인간은 무엇보다 자신이 나약하다고 느꼈을 것이고 매우 소심했을 거야.
으아악. 무서워~.
밤에 맹수의 눈빛만 봐도 나무 위로 도망을 갔을 테지.
이러한 점은 숲속에 살았던 석기 시대의 인간들을 상상하면 잘 알 수 있어.
석기 시대의 원시인들은 대부분 자신들이 매우 열등하다고 느꼈을 거야.
우리에게는 표범이 가지고 있는 날카로운 이빨이 없어.
빨리 도망갈 수 있는 날개도 없지.
이러한 상황에서 인간은 서로 공격할 여유가 없었어. 인간들끼리는 서로 평화로웠을 거야.
덕분에 평화가 제1의 자연법이 되었어.
제1의 자연법
평화
그래서 몽테스키외는 토마스 홉스(Thomas Hobbes, 1588~ 1679)가 인간이 처음부터 서로를 정복하려는 욕망을 갖고 있었다고 주장한 것은 잘못되었다고 했어.
앞으로 똑바로 알고 말해.
영국의 철학자 홉스는 자연 상태에서 인간은 이기적인 본성 때문에 '만인(萬人)의 만인(萬人)에 대한 투쟁 관계'에 놓인다고 주장했거든.
인간은 태어날 때부터 전투적이야~.

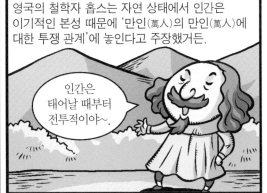

홉스는 개인이 이러한 투쟁 관계에 놓이면 안전을 보장받을 수 없게 되므로,
자신을 보호하기 위해 계약에 의해 자신의 권리를 주권자에게 넘기고 국가를 만든다고 했어.
저도 받아 주세요.
그가 쓴 《리바이어던》이라는 책의 표지 그림을 보면 그의 생각을 잘 알 수 있어.
무수히 작은 국민들이 왕관을 쓴 거대한 국왕(주권자)의 몸을 이루고 있잖아?
몽테스키외는 이런 홉스의 생각이 타당성이 없는 것이라고 주장한 거야.
더 배우고 와서 말하세요.
홉스의 만인의 만인에 대한 투쟁 관계는 원래부터 있었던 것이 아니라, 인간이 사회를 만든 후에 생겨난 것입니다.
쳇!
다른 인간을 정복하고자 하는 생각은 인간이 첫 번째로 갖는 관념이 될 수 없습니다!

사회를 이루기 전 자연 상태의 인간은 자신이 열등하고 약하다는 감정과 함께
널 내가 이길 수 있을까?
배고픔을 이기려면 먹을거리가 필요하다는 감정을 갖게 돼.
이게 무슨 소리야?
꼬르르륵…
인간은 이 감정에 따라 먹을 것을 찾으려고 애쓰는데 이것이 바로 제2의 자연법이야.
저건 먹을 수 있지 않을까?
또한 인간은 두려움 때문에 서로를 피해.
저놈이 혹시 내가 숨겨 놓은 먹을 것을 빼앗아 먹지는 않을까?
저놈이 계속 노려보는데 나를 해치려는 것은 아닐까?
하지만 그 두려움은 오히려 인간이 서로를 필요로 하고 사귀게 만들어.
저 사람은 좀 착하게 보이는데 사귀면 어려울 때 도움이 될 것 같군.
이거 같이 나눠 먹을 사람~.
마음 맞는 사람들과 함께 있으면 나쁜 놈들로부터 나를 지키기에 유리할 거야.
이건 동물도 비슷한 것 같아.
?
동물들도 서로 같은 종끼리 모여 사는데,
같은 종이 접근하면 쾌감을 느끼기 때문이야.

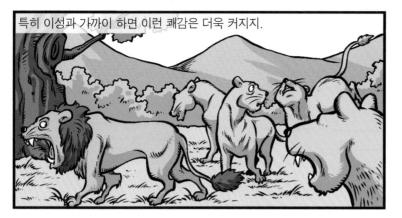

특히 이성과 가까이 하면 이런 쾌감은 더욱 커지지.
이런 이성 간의 이끌림과 사모하는 마음을 가지는 것이 바로 제3의 자연법입니다.
제3의 자연법
이성을 가까이하고자 하는 인간의 자연스러운 소원처럼 말이야.
저 여자와 함께 있으면 기분이 좋고 마음이 편안해져. 계속 함께 살았으면 좋겠군.
한편 인간은 앞에서 말한 여러 감정에 더해 지식을 가지고 있어.
지식
이러한 지식으로 인간은 동물이 가질 수 없는 좀 더 지속적이고 깊이 있는 유대감을 가질 수 있어.
언제부터 친했다고~.
인간이 서로 모여서 살고자 하는 중요한 동기가 돼.
그래서 인간은 사회생활을 영위하고자 하는 욕구를 가지는데 이것이 제4의 자연법이야.
제4의 자연법

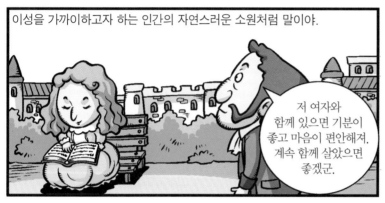

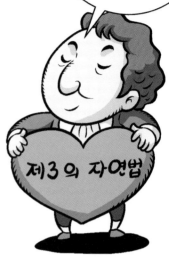

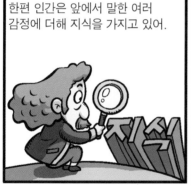

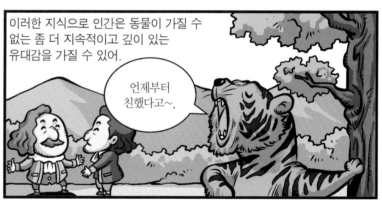

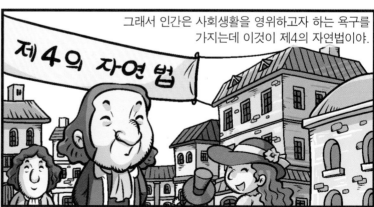

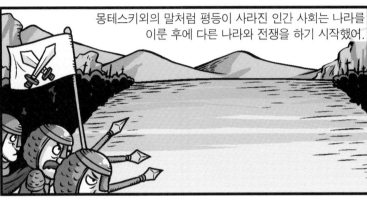

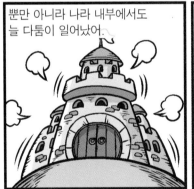

실정법이란?
인간은 사회생활을 하면서 자신들이 열등하고 약하다는 감정을 잊게 됐어.
후후! 이 정도 재산이면 뭐든지 할 수 있겠지? 내 말을 잘 듣는 이들을 모아서 다른 이들의 재산을 빼앗아야겠어.
일만 시켜 주세요. 충성!
인간이 사회를 이루면서 평등이 사라지고 전쟁이 일어나기 시작했습니다.
전쟁에서 이긴 사회는 더욱 큰 힘을 갖게 되었고, 그 힘을 믿고 더 큰 전쟁을 했지요.
몽테스키외의 말처럼 평등이 사라진 인간 사회는 나라를 이룬 후에 다른 나라와 전쟁을 하기 시작했어.
뿐만 아니라 나라 내부에서도 늘 다툼이 일어났어.
인간은 각각 자신이 속한 사회에서 자신의 힘을 자각했고,
사회의 이익을 자기의 이익으로 만들기 위해 욕심을 부렸어.
다 내 것이라니까!
이러한 욕심으로 인해 개인 사이에 투쟁이 만연했고,
좁잖아. 내려가!
나아가 나라와 나라 사이의 전쟁 상태가 조장됐지.

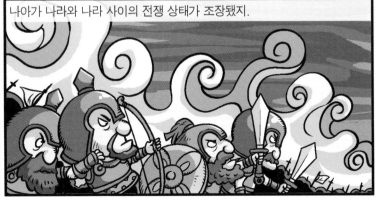

이러한 전쟁 상태가 인간들 사이에 실정법을 만들게 했어.
매일 싸우며 사는 것이 힘들군. 법을 만들어 분쟁을 막으면 좋겠어.
저 나라와 전쟁을 하는 데 너무 많은 돈이 들어. 이제는 서로 불가침 조약을 맺고 전쟁을 그만하는 게 좋겠어.
서로 다른 다양한 민족이 존재하는 일은 필연적이야.
너도!
너 이상하게 생겼다.
그러므로 민족 사이에 일어나는 전쟁은 자연스러운 일일 수도 있어.
이 땅 나에게 넘겨.
그래서 사람들은 민족 사이의 전쟁을 막기 위한 강제적인 수단으로 법을 만들었어.
그만 멈춰!
우리는 이것을 만민법(萬民法)이라고 해. 만민법은 고대 로마 제국에서 로마 시민과 외국인 또는 외국인 사이에 적용한 법이야.
만 민 법
원래 도시 국가였던 로마가 대제국으로 발전하는 과정에서 여러 민족이나 국가들과 협정을 맺는 일이 많았는데 이를 위해서 만들었지.
잘해 봅시다.
만민법이 있으니 편하군요.
오늘날에는 만민법을 국제 관계법이라고 해.

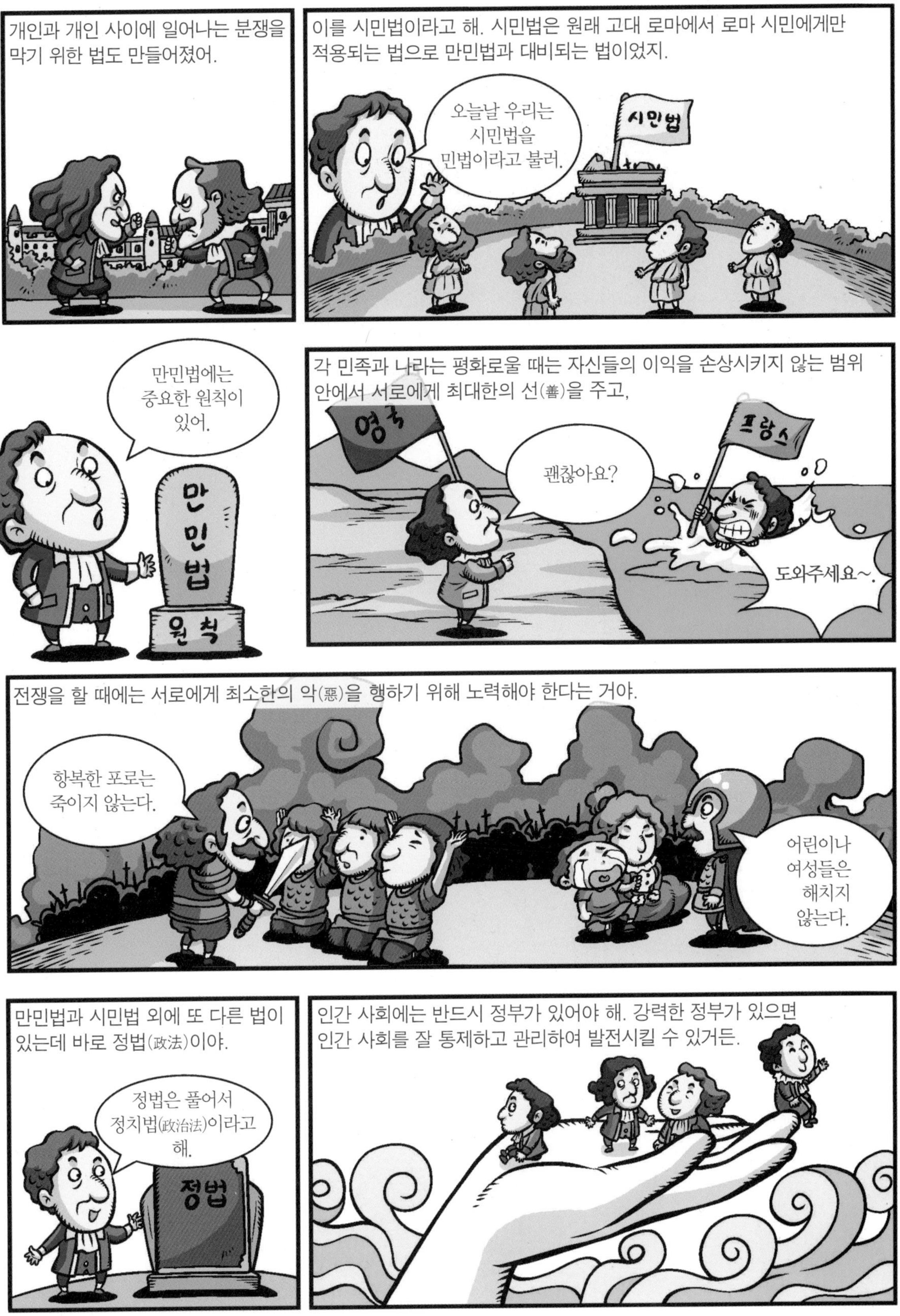

개인과 개인 사이에 일어나는 분쟁을 막기 위한 법도 만들어졌어.
이를 시민법이라고 해. 시민법은 원래 고대 로마에서 로마 시민에게만 적용되는 법으로 만민법과 대비되는 법이었지.
오늘날 우리는 시민법을 민법이라고 불러.
시민법
만민법에는 중요한 원칙이 있어.
만민법
원칙
각 민족과 나라는 평화로울 때는 자신들의 이익을 손상시키지 않는 범위 안에서 서로에게 최대한의 선(善)을 주고,
영국
프랑스
괜찮아요?
도와주세요~.
전쟁을 할 때에는 서로에게 최소한의 악(惡)을 행하기 위해 노력해야 한다는 거야.
항복한 포로는 죽이지 않는다.
어린이나 여성들은 해치지 않는다.
만민법과 시민법 외에 또 다른 법이 있는데 바로 정법(政法)이야.
정법은 풀어서 정치법(政治法)이라고 해.
정법
인간 사회에는 반드시 정부가 있어야 해. 강력한 정부가 있으면 인간 사회를 잘 통제하고 관리하여 발전시킬 수 있거든.

정부가 없으면 약자는 늘 피해를 보고,
강자는 늘 이익을 보기 때문에 평화로운 사회를 이룰 수 없어.
정법은 바로 이런 정부에 관련된 법이야.
정법
정부
정부의 권력은 한 사람의 수중에 있을 수 있고,
권력
여러 사람의 수중에도 있을 수 있어.
권력
어떤 사람은 자연이 부권(父權)을 만들었기 때문에 인간 사회도 한 사람이 통치하는 것이 자연스럽다고 주장했어.
그럼. 난 잘 다스릴 자신 있다고….
하지만 이런 주장의 근거는 매우 빈약해. 부권은 증명하기 어렵기 때문이야.
어렵긴 뭐가 어려워?
아버지가 죽은 후에는 아버지 형제들이 권력을 행사할 것이고,
형, 나라는 걱정 마. 내가 있잖아.
아버지의 형제들이 죽고 나면 아버지의 사촌 형제들이 권력을 행사할 것이기 때문이지.
내 차례는 언제 오는 거야? 나도 왕이 될 수 있는 거야?
따라서 가장 자연스러운 정체(政體)는 그 나라를 이루는 국민들의 특성에 잘 맞는 것이라고 할 수 있어.
어떤 나라는 한 사람이 다스리는 정체가,
어떤 나라는 여러 사람이 다스리는 정체가 좋다는 말이야.

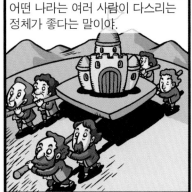

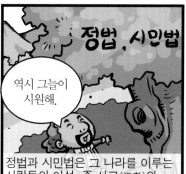

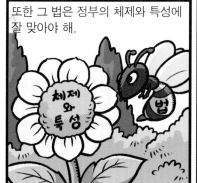

법은 이성(理性)이야.
법은 이성적이어야 한다는 말씀!
정법, 시민법
역시 그늘이 시원해.
정법과 시민법은 그 나라를 이루는 사람들의 이성, 즉 사고(思考)와 잘 맞아야 해.
A 나라의 법은 A 나라 국민들의 이성에만 잘 맞으면 된다는 거야.
이런 못된 놈은 사형 시켜야 해!
A 나라의 법을 B나라의 국민들의 이성에 맞출 필요는 없다는 말이지.
우리도 저 나라처럼 사형 제도를 도입해야 하나?
실제로 한 나라의 법이 다른 나라의 국민에게 적합한 경우는 매우 드물어.
사형 제도를 폐지하라!!
폐지하라~!!
또한 그 법은 정부의 체제와 특성에 잘 맞아야 해.
체제와 특성
법
정체를 구성하는 정법이든, 국민들 사이의 갈등을 조정하는 시민법이든 마찬가지지야.
정법
시민법
몽테스키외는 법이란 법 자체의 기원과 그 법을 만든 입법자의 의도 등과 깊은 관계를 맺고 있다고 했어.
이 법은 너무 각졌어. 둥근법으로 고칠 수 없을까?
법
그러므로 법을 제대로 알려면 여러 가지 관점에서 고찰해야 합니다. 제가 이 책에서 밝히고자 하는 것이 바로 이것입니다. 저는 법과 관련된 여러 가지 것들의 관계를 파헤칠 겁니다.
법
특히 법이 각 정체의 본성과 원리 사이에서 갖는 관계를 규명할 예정입니다. 그럼 다음 장으로 가 볼까요?

홉스의 '만인의 만인에 대한 투쟁'

영국의 대표적인 정치철학자 토마스 홉스

홉스는 1588년 4월 5일 영국에서 태어나 당시로서는 예외적으로 오래 살아 91세로 세상을 떠났습니다. 그의 아버지는 영국 국교인 성공회의 목사였는데 이름만 목사였지 밤이 새도록 술과 카드를 즐기고 싸움을 자주 했던 탓에 목사직에서 해임되자 가족들을 남겨 둔 채 떠나 버린 무책임한 인물이었습니다. 덕분에 홉스는 구두 공장을 운영하던 삼촌에게 가서 제대로 된 교육을 받을 수 있었습니다.

토마스 홉스

홉스는 6살 때 이미 라틴 어를 이해했고, 13살 때에는 그리스 어를 읽고 라틴 어로 번역했으며, 1603년 15살의 어린 나이로 옥스퍼드 대학에 입학할 정도로 뛰어난 재능을 보였습니다.

그러나 홉스는 보수적인 옥스퍼드 대학교의 학풍 때문에 지적인 만족을 얻지 못하고 주로 도서관에서 고전을 읽거나 세계 지도를 보면서 대학 생활을 보냈습니다. 그는 대학을 졸업한 후 명문 카벤디쉬 가문의 가정교사가 되었는데 그곳에서 귀족, 의원들과 교제를 나누며 현실 정치에 대한 다양하고 깊이 있는 정보를 얻었습니다.

1614년 홉스는 유럽 여행을 하면서 종교 전쟁의 후유증으로 혼란한 유럽의 실상과 쇠락하기 시작한 기독교를 목격했습니다. 1618년 홉스는 당대 최고의 철학자였던 베이컨의 개인 비서로 일을 하면서 베이컨의 경험주의 철학을 접했습니다. 1634년에는 2차 유럽 여행을 하던 도중 이탈리아에서 갈릴레이를 만나 그가 물리학에서 거둔 성과에 영향을 받아 정치 철학에도 과학적인 방법론을 적용하려 시도하기도 했습니다.

1640년 왕당파와 의회파의 심각하게 대립했을 때 홉스는 프랑스 파리로 갔고 《시민론》이라는 책을 출간했고 이어서 《물체론》과 《인간론》이라는 책도 출간했습니다.

1651년 홉스는 《리바이어던》을 영국 런던에서 출간했습니다. 그는 《리바이어던》을 통해 국가의

근간이 되는 사회 계약 개념을 명확하게 밝혔습니다. 하지만 그의 책은 종교 지도자들과 보수적인 학자들로부터 무신론을 선동하는 아주 위험한 사상이 담긴 책이라는 비난을 받았습니다. 그는 세상을 떠난 뒤에야 존 로크, 장 자크 루소, 스피노자 등에 의해 그의 정치 철학이 새로 조명을 받으며 근대 시민 사회의 사상적 토대를 마련한 위대한 철학자로 인정받았습니다. 특히 그의 인간 본성에 대한 예리한 통찰력은 지금도 많은 학자들로부터 높이 평가받고 있습니다.

만인의 만인에 대한 투쟁(the war of all against all)

홉스는 인간의 본질을 부정적인 것으로 보았습니다. 홉스는 '인간은 끊임없는 두려움과 폭력적인 죽음의 위협에 놓여 있으므로 인간의 삶은 외롭고 가난하고 역겹고 잔인하다.'고 생각했습니다. 따라서 인간을 자연 상태에 두면 본능에 따르거나 자기 이익에 몰두하는 동물과 같은 야만적 존재가 되므로 힘이 강한 자들은 약한 자들을 약탈하는 상태에 놓일 것이라고 했고, 이런 상태를 '만인의 만인에 대한 투쟁'이라는 말로 표현했습니다.

홉스는 인간이 만인의 만인에 대한 투쟁 상태에 놓이게 되면 각자가 서로 불신하고, 모두가 권력을 원하게 될 것이라고 생각하고, 이를 방지하기 위해서 강력한 국가권력이 필요하다고 주장했습니다. 홉스는 인간들은 평화를 누리기 위하여 사회 계약 상태로 들어가기를 원하며 그 과정에서 자연 상태에서 가졌던 몇 가지 자유를 포기한다고 했습니다.

그러면서 만인의 만인에 대한 투쟁 상태에 있는 인간들에게 법과 질서를 줄 수 있는 존재를 '리바이어던'이라는 상징적인 존재로 나타냈습니다. 그의 책 제목이기도 한 리바이어던은 구약 성경의 〈욥기(The Book of Job)〉에서 나오는 용어입니다. 리바이어던은 하느님이 자신의 힘을 드러내고 유한한 인간이 그 힘에 대항하는 일이 얼마나 헛된 것인가를 증명하기 위해 욥에게 보여 주었던 무시무시하고 무자비한 바다 괴물입니다. 홉스는 이 리바이어던과 같은 존재가 바로 국가라고 했습니다. 국가가 각 개인으로부터 사회 계약에 의해 위임 받은 힘으로 절대적 권위를 갖고 무엇인가를 할 때 인간들은 '만인의 만인에 대한 투쟁' 상태에서 벗어날 수 있다고 했습니다. 하지만 홉스는 그 절대적 권위를 국왕이라는 한 명의 절대 권력자에게 부여함으로써 절대 왕정을 강화하는 데 도움을 주었으나 실질적으로 각 개인들의 삶은 평화롭게 만들어 주지 못하는 한계를 보였습니다.

4장 정체의 본성(本性)과 원리(原理)

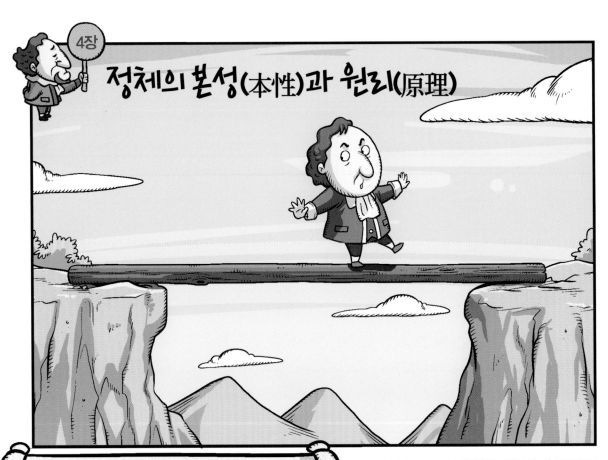

정체의 종류 - 공화정체, 군주정체, 전제정체

대한민국 헌법 1조를 보면 1항에 '대한민국은 민주공화국이다.'라고 되어 있어.
대한민국은 민주공화국 이다.

헌법 1조는 우리나라의 국가 형태를 규정하는 것으로 헌법 중에서도 가장 중요하지.
법
헌법 1조는 헌법 중의 헌법입니다!

헌법 1조 1항의 '민주공화국'은 '민주정체'와 '공화정체'의 두 정체를 더한 것으로 생각할 수 있어.
민주 공화국
민주정체
공화정체

하지만 엄밀하게 따지면 민주정체는 공화정체의 한 종류야.
민주정체
공화정체
국민에게 권력이 있는 정치 체제라는 뜻이지.

이쯤 되면 민주정체나 공화정체 외에 어떤 정체가 있으며 그 뜻은 무엇인지 슬슬 궁금해지지?
민주정체
공화정체

몽테스키외는 《법의 정신》에서 정체에는 세 가지 종류가 있다고 했어.
정체에는 공화정체(共和政體), 군주정체(君主政體), 전제정체(專制政體) 세 종류가 있습니다.
공화 정체
군주 정체
전제 정체
정체
먼저 공화정체부터 알아볼까? 공화정체는 국민 전체 혹은 일부가 주권을 가지는 정체야.
공화 정체
여기서 잠깐, '주권'이 무엇인지 살펴보자. 주권은 정체에서 아주 중요한 의미를 가지고 있거든.
주권
주권이란 한자로 主權이라고 쓰는데 말 그대로 '주인의 권리'라는 뜻이야.
크하하하. 여긴 내 땅이라고~.
주권은 국가의 의사를 최종적으로 결정하는 최고의 권력을 말해.
반대
이 땅을 줘도 될까?
주권
이 주권을 누가 가지고 있느냐에 따라 국가의 형태, 즉 정체가 결정돼.
주권
평화
전쟁
공화정체는 바로 국민이 주권을 가지고 있는 정체야.
국민
국민 전체가 주권을 가지고 있다면 민주정체라 하고, 국민의 일부인 귀족들이 주권을 가지고 있으면 귀족정체라고 하지요.
주권
우리나라 헌법 1조 2항을 보면 '대한민국의 주권은 국민에게 있고, 모든 권력은 국민으로부터 나온다.'라고 되어 있어.
법
그래서 우리나라를 민주공화국이라고 부르는 겁니다.
이 조항을 보면 우리나라는 공화정체 중에서 민주정체를 택한 나라임을 알 수 있어.
민주정

한편 군주정체는 단 한 사람, 즉 군주가 주권을 가지고 통치하는 정체를 말해.
군주정
하지만 군주가 자기 마음대로 하는 것이 아니라,
나라에서 정한 법에 따라 군주가 통치를 하는 정체야.
법
조선 시대 이씨 왕조의 정체가 여기에 속할 거야.
당시에 절대적인 권력을 지닌 왕이 있었지만,
권력
왕이 함부로 하지 않고 국법에 따라 신하들의 조언을 들으면서 나라를 다스렸거든.
그대들의 뜻에 따라 하시오~.
황공하옵니다!
요새 과인의 마음이 어지럽소. 그래서 오늘은 가까운 절에 가서 염불을 외울까 하오.
그 일은 불가(不可)하옵니다. 조선은 유교 국가입니다. 국법에 의하면 임금은 절에 가서 염불을 외울 수 없사옵니다. 군주라도 국법을 따라야 하옵니다. 통촉해 주시옵소서.
반면에 전제정체는 통치자가 자기의 뜻대로 모든 일을 처리하는 정체를 말해.
전제정체는 자기 파괴적인 형태로 군주가 자신이 모든 토지의 주인이며 모든 자기 백성의 재산 상속자라고 주장하는 정체입니다.
흔히 우리가 아는 독재자가 다스리는 나라의 정체라고 말할 수 있을 거야.

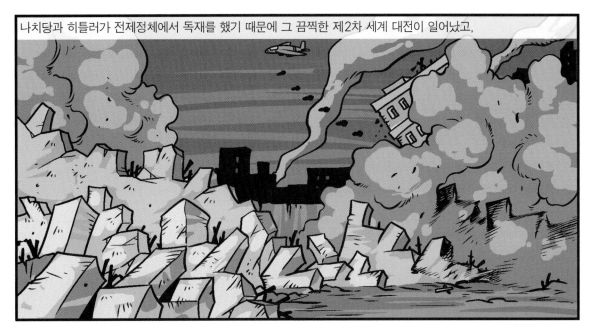

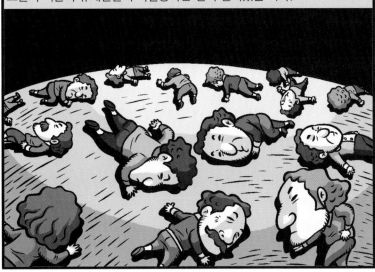

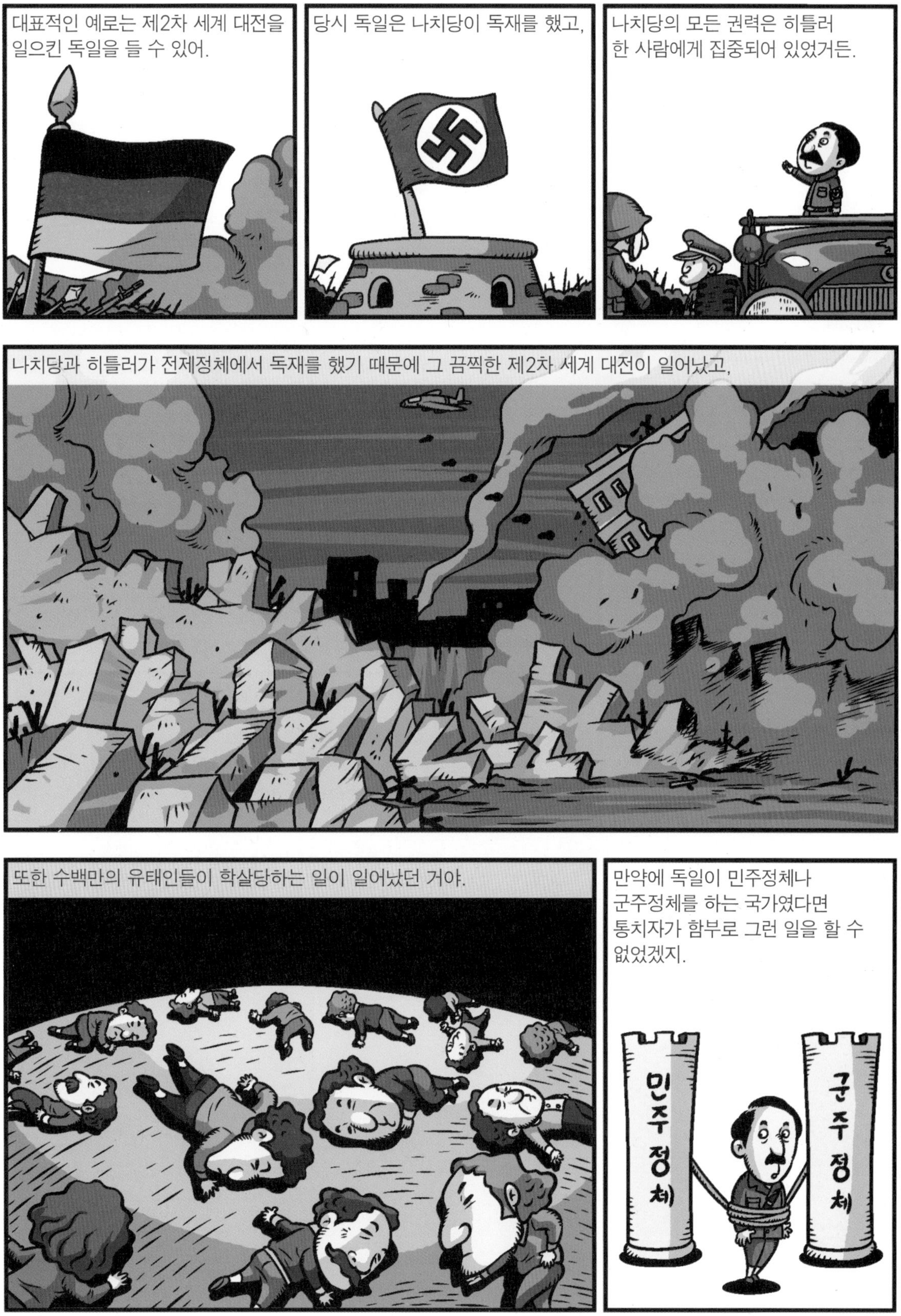
대표적인 예로는 제2차 세계 대전을 일으킨 독일을 들 수 있어.
당시 독일은 나치당이 독재를 했고,
나치당의 모든 권력은 히틀러 한 사람에게 집중되어 있었거든.
나치당과 히틀러가 전제정체에서 독재를 했기 때문에 그 끔찍한 제2차 세계 대전이 일어났고,
또한 수백만의 유태인들이 학살당하는 일이 일어났던 거야.
만약에 독일이 민주정체나 군주정체를 하는 국가였다면 통치자가 함부로 그런 일을 할 수 없었겠지.
민주정체
군주정체

각 정체의 본성과 기본법
지금부터는 각 정체의 본성과 이와 관련하여 가장 기본이 되는 법이 무엇인지 알아보자.
민주정체에서 국민은 어떤 면에서는 군주이고, 한편으로는 신민(臣民)이야.
국민
군주
신민
신민* 중에서 군주 또는 통치자가 나오기 때문이지.
* 신민 : 왕이나 군주를 제외한 신하와 백성을 가리키는 말
민주정체에서 군주는 투표에 의해서만 결정될 수 있어.
군주 뽑기
투표함
그러므로 이 정체에서 가장 기본이 되는 법은 투표권을 정하는 법이라고 할 수 있을 거야.
어떻게, 누구에 의해, 누구에 관해, 무엇에 관해 투표하는지를 규정하는 것은 아주 중요해.
?
?
?
민주정체를 실시한 아테네에서 인민 집회에 끼어든 외국인을 사형에 처했다는 기록이 있어.
아테네 시민들은 자신의 주권을 침해한 죄를 아주 엄하게 다스렸다는 말이야.
주권
저 손은 뭐야? 잘라 버려야지!
집회를 성립시키는 데 필요한 인민의 수를 정하는 일은 매우 중요해.
똑바로 줄서 봐요~.
그렇지 않을 경우 인민의 전체 의견인지,
목소리가 크면 그게 전체 목소리야?
아니면 단순히 인민 일부의 의견인지 알기 어렵거든.

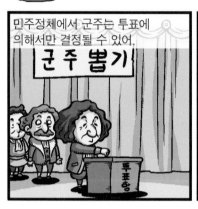

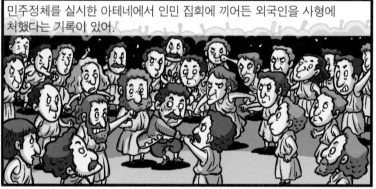

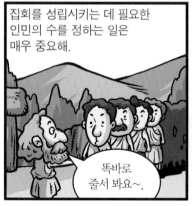

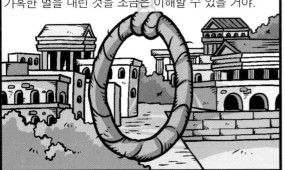

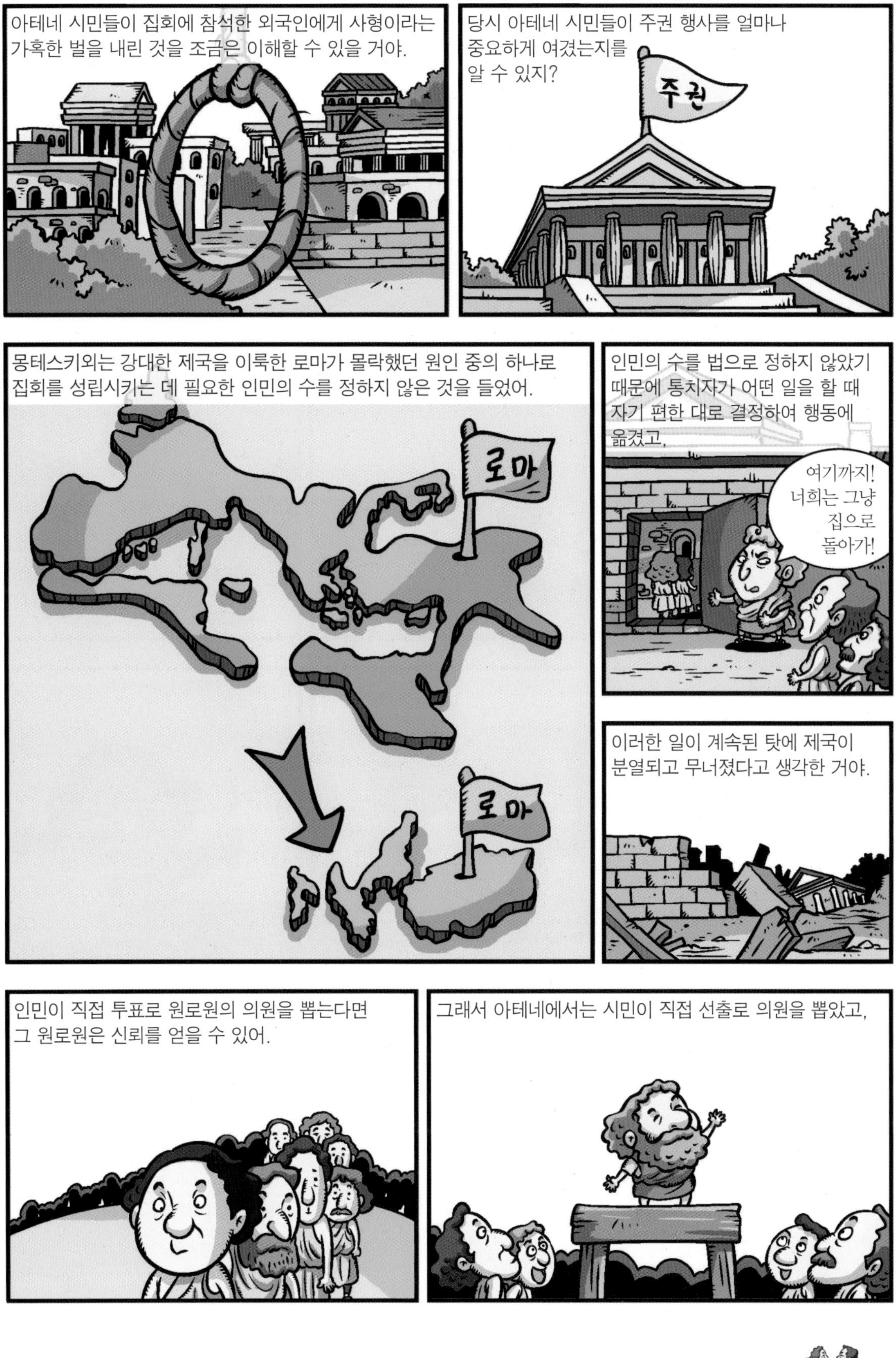
아테네 시민들이 집회에 참석한 외국인에게 사형이라는 가혹한 벌을 내린 것을 조금은 이해할 수 있을 거야.
당시 아테네 시민들이 주권 행사를 얼마나 중요하게 여겼는지를 알 수 있지?
주권
몽테스키외는 강대한 제국을 이룩한 로마가 몰락했던 원인 중의 하나로 집회를 성립시키는 데 필요한 인민의 수를 정하지 않은 것을 들었어.
로마
로마
인민의 수를 법으로 정하지 않았기 때문에 통치자가 어떤 일을 할 때 자기 편한 대로 결정하여 행동에 옮겼고,
여기까지! 너희는 그냥 집으로 돌아가!
이러한 일이 계속된 탓에 제국이 분열되고 무너졌다고 생각한 거야.
인민이 직접 투표로 원로원의 의원을 뽑는다면 그 원로원은 신뢰를 얻을 수 있어.
그래서 아테네에서는 시민이 직접 선출로 의원을 뽑았고,

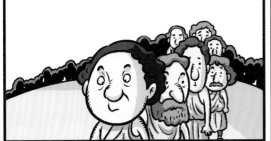

로마에서는 시민이 정한 집정관이 의원을 선출했어.
시민의 대표로 의원을 잘 뽑아 봐~.
그래야지. 걱정 마.
인민은 자신의 권위의 일부를 맡겨야 할 사람을 선출하는 데에는 매우 뛰어난 능력을 가지고 있거든.
고맙습니다. 후회하지 않도록 열심히 하겠습니다.
투표하는 방법을 규정하는 법도 아주 중요해.
어떤 모양을 선택해야 하나~?
일반적으로 민주정체는 추첨에 의한 투표를 하고,
귀족정체는 선택에 의한 투표를 해.
그냥 네가 해.
정말?
추첨은 누구도 괴롭히지 않는 선거 방법이야.
누가 날 안 찍은 거야?
모든 시민에게 국가를 위해 봉사하고자 하는 희망을 주지.
나도 운만 좋으면 뽑힐 수 있어!
희망자
반면에 이 방법은 능력이 부족한 사람을 뽑을 수 있다는 큰 결함이 있어.
헉! 썩은 사과를 잘못 샀어!
입법자들은 결함을 교정하기 위해 많은 노력을 기울였지.
대표적인 사람으로 아테네의 솔론(Solon, 기원전 640~560)을 들 수 있어. 솔론은 아테네의 정치가로 빚 때문에 노예가 된 시민들을 해방시키는 등 민주 정치의 기반을 닦은 인물이야.
너무 힘들어 보이는군. 내가 해방시켜 줄 수 없을까?

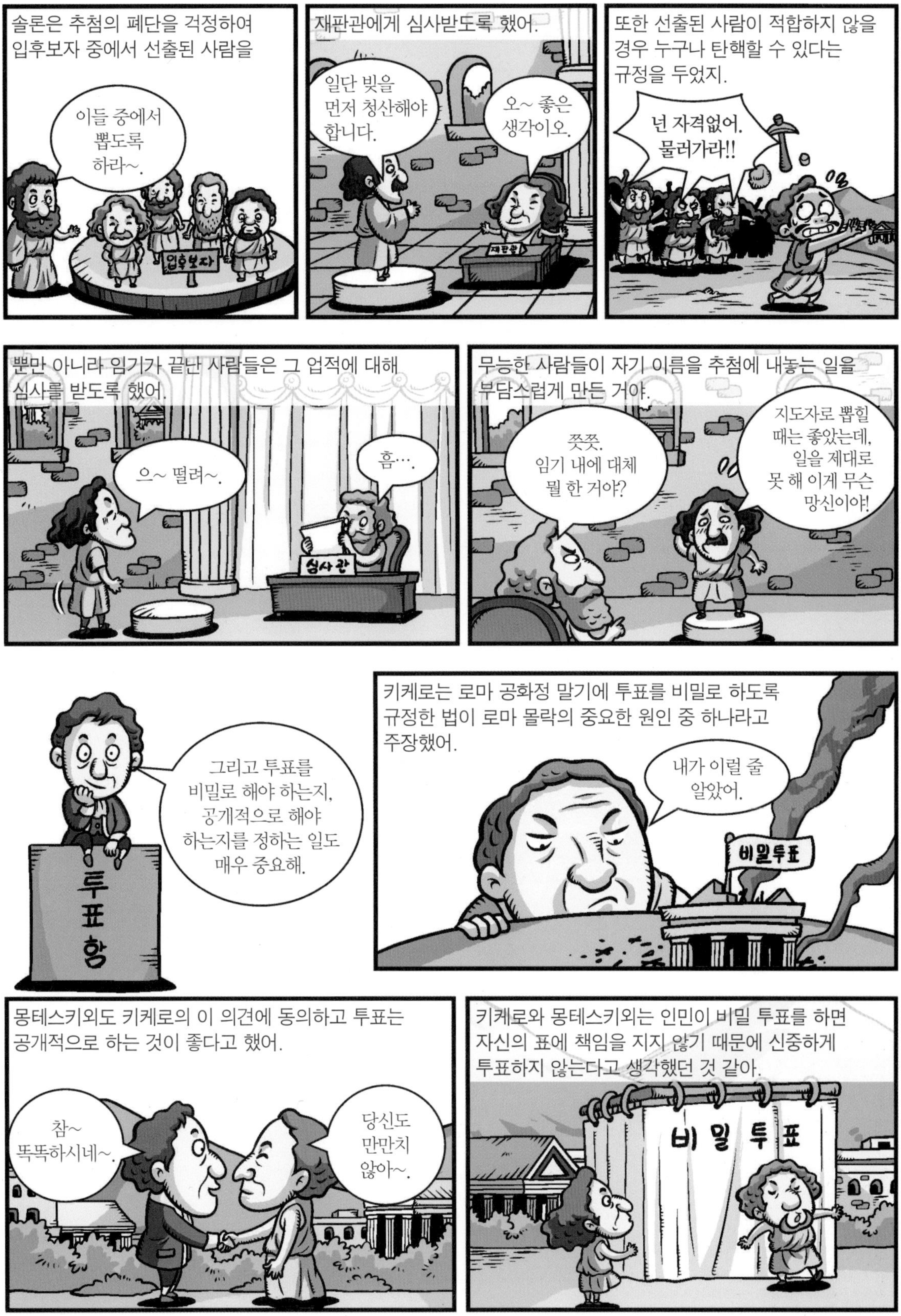

솔론은 추첨의 폐단을 걱정하여 입후보자 중에서 선출된 사람을
이들 중에서 뽑도록 하라~.
입후보자
재판관에게 심사받도록 했어.
일단 빚을 먼저 청산해야 합니다.
오~ 좋은 생각이오.
재판관
또한 선출된 사람이 적합하지 않을 경우 누구나 탄핵할 수 있다는 규정을 두었지.
넌 자격없어. 물러가라!!
뿐만 아니라 임기가 끝난 사람들은 그 업적에 대해 심사를 받도록 했어.
으~ 떨려~.
흠….
심사관
무능한 사람들이 자기 이름을 추첨에 내놓는 일을 부담스럽게 만든 거야.
쯧쯧. 임기 내에 대체 뭘 한 거야?
지도자로 뽑힐 때는 좋았는데, 일을 제대로 못 해 이게 무슨 망신이야!
그리고 투표를 비밀로 해야 하는지, 공개적으로 해야 하는지를 정하는 일도 매우 중요해.
투표함
키케로는 로마 공화정 말기에 투표를 비밀로 하도록 규정한 법이 로마 몰락의 중요한 원인 중 하나라고 주장했어.
내가 이럴 줄 알았어.
비밀투표
몽테스키외도 키케로의 이 의견에 동의하고 투표는 공개적으로 하는 것이 좋다고 했어.
참~ 똑똑하시네~.
당신도 만만치 않아~.
키케로와 몽테스키외는 인민이 비밀 투표를 하면 자신의 표에 책임을 지지 않기 때문에 신중하게 투표하지 않는다고 생각했던 것 같아.
비밀투표

귀족정체는 주권이 일정한 수의 사람들, 즉 귀족들에게 있어.
귀족
이들이 법을 만들고 집행하므로 나머지 인민들은 군주정체에서 군주에게 대하듯 이들을 대해야 하지.
귀족
충성을 다하겠습니다.
귀족들의 수가 많을 때는 그들 중 일부를 뽑아서 구성한 원로원이 필요해.
원로원 한 사람 선착순!
원로원 의원은 결원이 생겼을 때 스스로 보충할 권리를 가져서는 안 돼.
난 신경쓰지 않겠어.
그렇게 되면 권력이 원로원에게 집중되어 큰 문제가 생길 수가 있어.
공화정체에서 과도한 권력이 한 사람에게 집중되면 그 폐해는 군주정체에서 군주에게 권력이 집중되었을 때보다 더 클 수 있어.
에게~. 고작 그거야?
군주정체는 그런 폐해를 미리 예측하여 막을 수 있는 수단을 두지만,
거기서 뭐 하는데?
작년에도 홍수 났잖아. 미리 둑을 쌓아 둬야지~.
공화정체에서는 그런 폐해를 막을 수단을 두지 않기 때문이야.
몽테스키외는 귀족정체에서는 모든 정무관직의 임기가 1년이 넘지 않도록 법으로 제한을 두는 것이 좋다고 했어.
이제 그만 좀 해 먹으슈~.
이보다 더 길게 하면 권력을 독점할 수 있으므로 위험합니다.

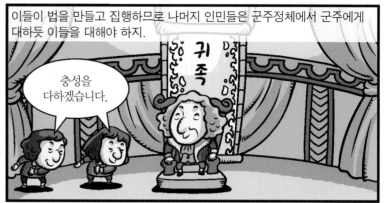

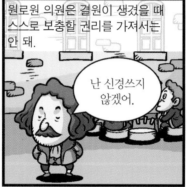

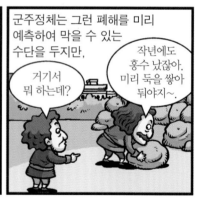

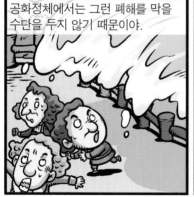

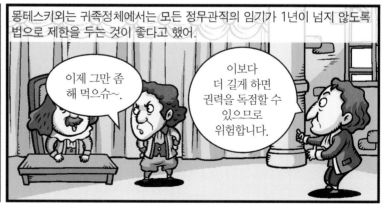

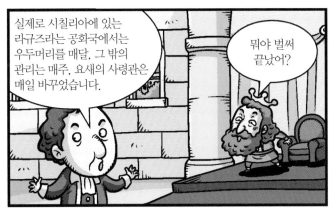

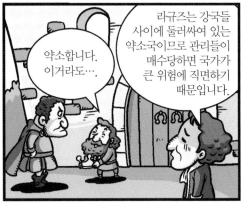

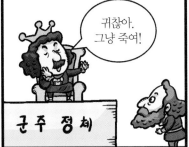

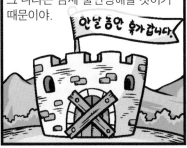

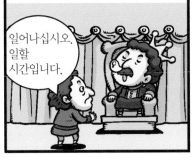

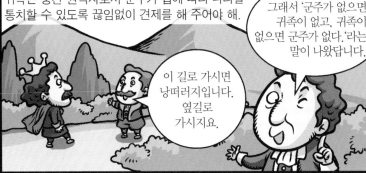

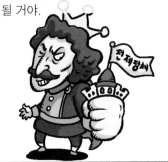

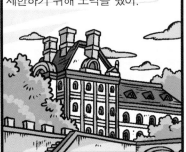

실제로 시칠리아에 있는 라규즈라는 공화국에서는 우두머리를 매달, 그 밖의 관리는 매주, 요새의 사령관은 매일 바꾸었습니다.
뭐야 벌써 끝났어?
라규즈는 강국들 사이에 둘러싸여 있는 약소국이므로 관리들이 매수당하면 국가가 큰 위험에 직면하기 때문입니다.
약소합니다. 이거라도….
한편, 군주정체에서 모든 권력은 군주에게서 나와.
귀찮아. 그냥 죽여!
군주 정체
이때 그 권력이 유통되는 과정을 잘 살피는 것이 중요해.
오직 한 사람의 군주가 방자한 의지로 자기 마음대로 통치한다면 그 나라는 금세 불안정해질 것이기 때문이야.
그러므로 군주정체에서는 군주를 보좌하는 귀족의 역할이 매우 중요해.
일어나십시오. 일할 시간입니다.
귀족은 중간 권력자로서 군주가 법에 따라 나라를 통치할 수 있도록 끊임없이 견제를 해 주어야 해.
이 길로 가시면 낭떠러지입니다. 옆길로 가시지요.
그래서 '군주가 없으면 귀족이 없고, 귀족이 없으면 군주가 없다.'라는 말이 나왔답니다.
만약에 귀족이 없어진다면 군주정체는 곧바로 전제정체가 될 거야.
전제정체
프랑스의 고등 법원은 오랜 세월 끊임없이 영주와 성직자의 재판권을 제한하기 위해 노력을 했어.
이런 일은 아주 조심스럽게 해야 해.

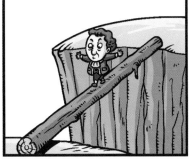

영주와 성직자의 권력이 무력화되면 프랑스가 전제정체로 갈 수 있기 때문이야.
전제정치
그래서 몽테스키외는 성직자의 특권이 옹호할 일은 아니지만 그들의 재판권을 유지시키는 것은 현명하다고 했어.
공화정체에서 성직자의 권력이 위험할 수 있지만, 전제정체로 기울어지는 군주정체에서는 성직자의 권력이 있는 편이 좋습니다. 만약에 이들의 권력마저 없어진다면 군주의 권력을 견제할 어떤 힘도 없어지기 때문이지요.
전제정체에서는 모든 권력이 유일한 인간, 즉 군주에게 있어.
군주
전제정체에서 군주는 자신이 이 세상에서 최고이고, 전부이며
타인은 아무것도 아니라는 생각을 쉽게 해.
얘들 다 모아서 저 산을 깎아라. 내 전용 수영장을 만들겠다.
이런 생각에 빠져 있는 군주는 나태하고 무지하며 향락에 빠지기 쉽고
나라 다스리는 일을 등한시해.
내일 낮까지 깨우지 마. 귀찮아~.
나라 일은 일부 신하들에게 위임하고 자기는 놀기에 바쁘지.
골프치고 올 테니까 일 다 끝내 놔!!
이럴 경우 신하들은 서로 권력을 가지려고 충돌하는 등 늘 혼란스러울 거야.
이거 내가 한다고 손대지 말랬지.
왕께서 나한테 위임한 거야.
영토관할
군주는 이 일을 방지하기 위해 자신과 같은 권력을 가진 인물인 재상을 내세워.
네가 재상해.
정말? 내가?
그러므로 전제정체에서는 군주보다 재상에 관련된 법이 더욱 중요해.
넌 뭔데 나보다 더 많은 거야?
관련법
관련법
관련법

각 정체의 원리
우리는 앞에서 공화정체의 본성이 인민 전체 또는 몇몇 귀족이 주권을 가지는 것이고,
찬성이 반대보다 많습니다. 찬성으로 하겠습니다.
군주정체의 본성은 군주가 주권을 가지지만 그것을 정해진 법에 행사해야 하는 것이며,
군주정체
법
전제정체의 본성은 오직 한 사람만이 주권을 가지고 자기 뜻대로 통치하는 것이라고 했어.
그게 돈 대신이야?
더 이상 가져올 게 없어요~.
이처럼 각 정체의 본성은 그 정체가 존재하는 근거가 돼.
전제정체
군주정체
공화정체
반면에 정체의 원리는 그 정체를 움직이는 생각이나 감정이라고 할 수 있어.
생각.감정
정체의 원리
법은 정체의 본성과 함께 정치의 원리와도 깊이 관련되어 있어.
본성
법
원리
그러므로 각 정체의 원리가 무엇인지 아는 것은 중요한 일이야.
?
정체의 원리
민주정체의 원리는 '덕성(德性)'이야.
여기서 말하는 덕성은 조국과 민족에 대한 사랑, 참다운 영광에 대한 소망, 가장 귀중한 이익을 위해 희생하는 정신 등을 말해.

몽테스키외는 이러한 덕성이 있어야 민주정체가 완성되고 발전할 수 있다고 했어.
민주정체
덕성
덕성을 잃으면 어떤 나라도 민주정체를 유지할 수 없다고 주장했지.
덕성
그는 대표적인 예로 영국과 로마, 그리고 아테네를 들었어.
영국
아테네
로마
17세기 때 영국은 민주정체를 수립하려고 많은 노력을 기울였습니다.
영국
하지만 행정 업무를 담당한 사람들의 덕성이 결여돼 있었고, 정치인들은 당파 싸움으로 세월을 보냈기 때문에 민주정체를 이루지 못했습니다.
영국
로마도 마찬가지였습니다. 기원전 80년 무렵 루키우스 술라 장군이 전쟁에서 승리하고 돌아와
정치인들로부터 땅을 몰수하여 군인들에게 나누어 주고,
이제부터 여기 네 땅 해.
어이구~. 이런 법이 어디 있어~.
정말요?
'로마 재건을 위한' 독재관이 되어 개혁 정치를 펼쳤습니다만
따지지 마. 죽는다!
그를 포함한 정치인들과 시민들의 덕성이 부족하여 민주정체를 이루지 못했지요.
민주정치
아테네도 마찬가지였습니다. 그들이 덕성으로 도시를 지켰을 때는 민주정체를 유지할 수 있었습니다.
민주정체

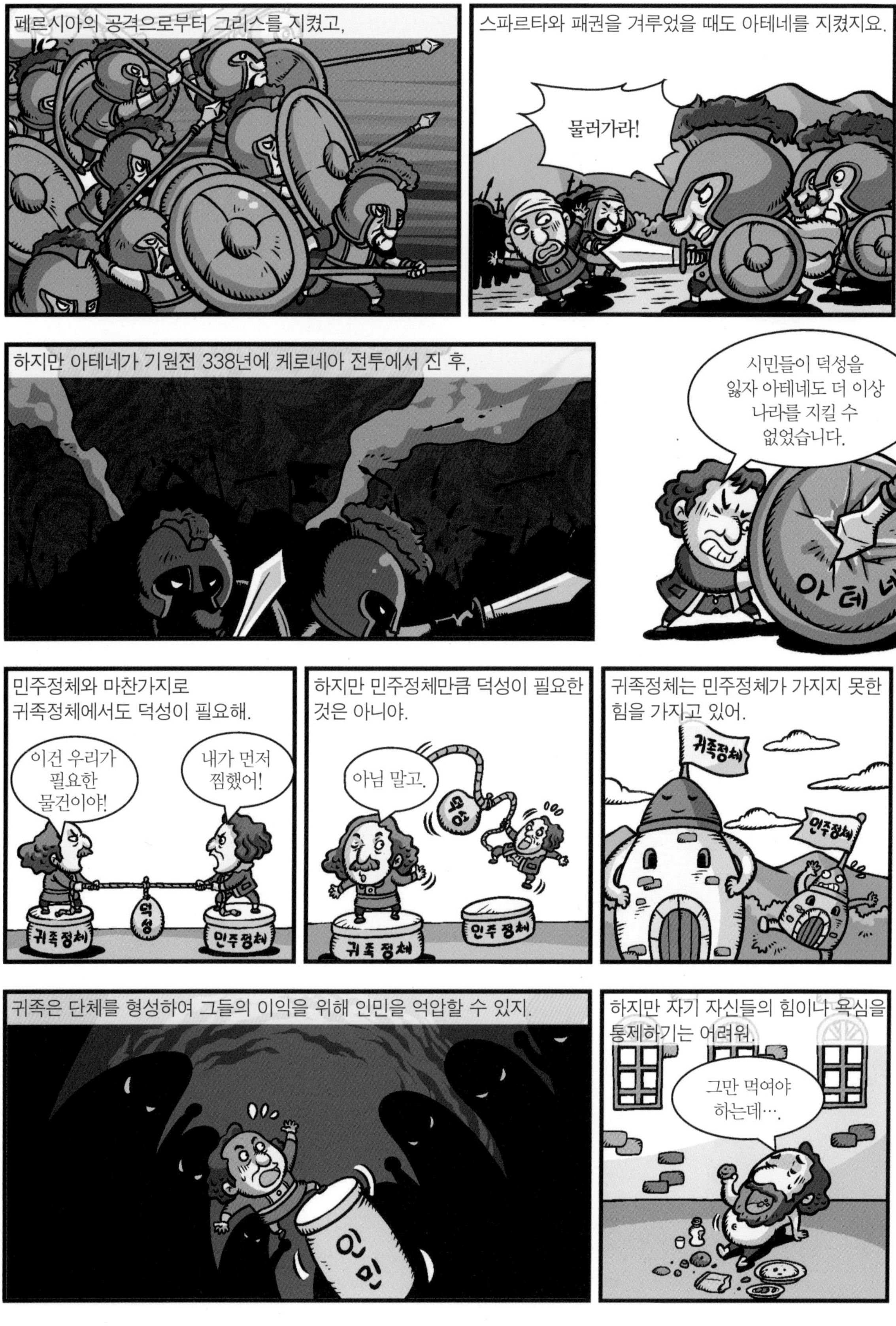
페르시아의 공격으로부터 그리스를 지켰고,
스파르타와 패권을 겨루었을 때도 아테네를 지켰지요.
물러가라!
하지만 아테네가 기원전 338년에 케로네아 전투에서 진 후,
시민들이 덕성을 잃자 아테네도 더 이상 나라를 지킬 수 없었습니다.
아테네
민주정체와 마찬가지로 귀족정체에서도 덕성이 필요해.
이건 우리가 필요한 물건이야!
내가 먼저 찜했어!
덕성
귀족정체
민주정체
하지만 민주정체만큼 덕성이 필요한 것은 아니야.
아님 말고.
덕성
귀족정체
민주정체
귀족정체는 민주정체가 가지지 못한 힘을 가지고 있어.
귀족정체
민주정체
귀족은 단체를 형성하여 그들의 이익을 위해 인민을 억압할 수 있지.
인민
하지만 자기 자신들의 힘이나 욕심을 통제하기는 어려워.
그만 먹여야 하는데….

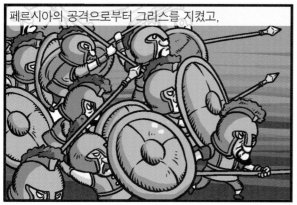

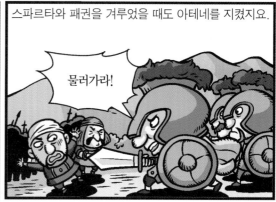

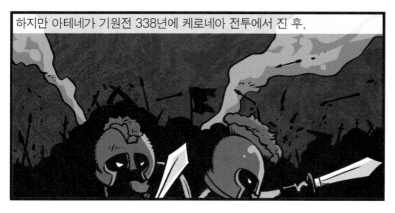

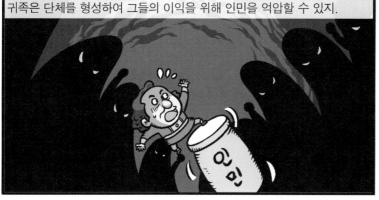

귀족 단체가 자신을 통제할 수 있는 방법은 두 가지야.
귀족을 인민과 평등하게 만드는 위대한 덕성을 가지든지,
인민
귀족
덕성
아니면 귀족을 인민과 동등하게 여기는 절제*를 가지는 거야.
그만하세요. 밥이 타잖아요.

* 절제(節制) : 정도에 넘지 아니하도록 알맞게 조절하여 제한하는 것.

귀족을 인민과 평등하게 만드는 덕성은 위대한 공화국을 이룰 수 있게 해 주고,
평등
절제는 귀족의 힘과 품위를 존중받게 해 줘.
그러므로 귀족정체를 완성하고 발전시키는 원리는 절제라고 할 수 있어.
절제
귀족 정체
반면에 군주정체의 원리는 명예야. 그래서 군주정체에서 신분 질서가 아주 중요해.
군주, 귀족, 평민 등으로 구분되는 신분에 따라 각각의 권리와 지위가 다르기 때문이지.
군주나 귀족들은 자신의 신분에 따른 특권을 명예로 생각하고 이를 소중하게 여겨.
그 상자 안에 뭐 들었어요?
알 필요 없어. 저리 가.
명예
군주정체에서는 이런 명예를 얻기 위한 야심을 높이 평가해.
고생 많았다. 너에게 상을 내리겠다.
명예

공화정에서 야심을 가지면 위험한 일이 될 수 있지만
야심
공화정
군주정체에서는 좋은 결과를 가져오고,
군주정체에 생명력을 불어넣기도 하기 때문이야.
군주정체
야심을 가진 귀족들은 다른 귀족들과의 경쟁에서 이기기 위해 서로 경쟁하고 견제를 해.
한꺼번에 그렇게 많이 가져가는 건 반칙 아냐?
따라서 권력은 한쪽으로 치우치지 않고 정치적으로 안정을 이룰 수가 있어.
이처럼 명예는 군주정체의 모든 부분을 움직이며 그 작용에 의해 여러 부분을 결합시키고,
명예
군주정체
공동의 선을 추구하도록 해 주지.
명예
그렇다면 전제정체의 원리는 무엇일까?
원리
덕성일까? 명예일까?
덕성
명예
아니야. 전제정체의 원리는 공포야. 왜 그런지 알아볼까?

전제정체에서는 통치자 한 사람 외에 모든 인간은 평등하므로 아무도 자신을 남보다 우위에 놓을 수 없어.
안 내려가?
자… 잘못 올라왔어요.
또한 한편으로는 모든 인간이 노예이므로 아무도 자신을 남보다 우위에 놓을 수 없어.
여기도 같은 것 한 그릇 주세요!
이런 놈과 같은 취급 이라니….
이런 정체에서 명예는 아무런 의미가 없지.
이걸 드릴 테니 밀가루 조금만 줄래요?
그걸 어디다 써~?
명예
명예는 큰 목적을 위해 자신의 생명을 버리는 일까지 하찮게 여기는 것을 영광으로 아는 거야.
전제정체에서 군주는 그런 생명을 마음대로 빼앗을 수 있어.
이놈이 나랑 눈 마주쳤다. 기분 나빠. 죽여라!
네?
그러므로 전제정체에서 명예는 높은 가치를 인정받을 수 없어. 오히려 위험한 요소가 될 수 있지.
저걸 주울까? 말까?
명예
전제정체에서는 군주의 막대한 권력이 그것을 맡은 사람에게 전부 맡겨졌다고 앞에서 말했지?
그 사람이 조금만 마음을 달리 먹으면 군주의 자리를 엿볼 수 있을 거야.
내가 마음만 먹으면 군주 자리는 차지할 수 있을 텐데….
군주는 이런 일을 막기 위해서 사람들에게 공포심을 주는 거야.
공포
공포가 모든 사람들의 마음을 짓눌러 야심의 작은 조각까지도 소멸시키게 해.
그러면 어떤 사람도 감히 군주의 자리를 넘보지 못할 테니까 말이야.

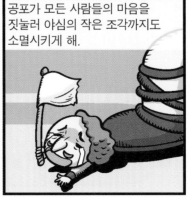

만약에 군주가 조금이라도
방심하여 공포를 늦추거나,
공포
최고의 지위를 차지한 사람을 즉시 없앨 수 없는 위치에 있으면 전제정체는
금방 위험에 빠지고 군주는 몰락하게 된다고 몽테스키외는 주장했어.
가장 낮은 위치에 있는 신민의 목은 안전하고, 고관의 목은 항상 위험한 상태에 있을 때 전제정체는 안전하다고 할 수 있지요.
언제까지 여기 있어야 해요?
전제정체는 신하와 인민들에게
최대한의 복종을 요구해.
군주의 생각이 밝혀지면 즉시
시행되어야 하는데, 거기에는
조정이나 타협, 교섭이나 충고
등이 일체 개입될 수 없어.
군주 생각
설사 군주의 생각보다 더 좋은 생각이
있더라도 제안해서는 안 돼.
전제정체를 본성으로 하는 페르시아에서는 왕이 누군가에 형을 선고했을 때
그 누구도 그 사람에 대해 이야기할 수도, 사면을 요청할 수도 없어.
이놈이 진짜 범인입니다.
그래도 어쩔 수 없어. 이놈은 죽여야 해.
만약에 국왕이 정신없이 취하거나
이성을 잃은 상태에서 내린
판결이라도 형은 집행되어야 해.
다른 관리는 왜 안 보이는 거냐?
어제 죽이라 하셔서 다 죽였는데요?
전제정체에서 군주에 대적할 수 있는
것은 단 한 가지인데, 그것은 바로
종교야.
전제정체
술을 마시면 안 되는 종교를 가진
국가에서는 군주가 아무리 명령을
해도 술을 마시지 않아도 돼.
딱 한잔만 하고 가라니까~.
시간 없어요. 우리 애들이 기다려요.
종교의 법은 인민들뿐만 아니라
군주에게도 공평하게 적용되기
때문이야.

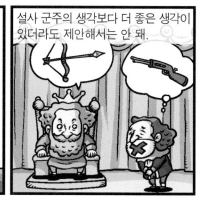

주권이란?

주권(主權)은 말 그대로 '주인의 권리'입니다. 주권은 국민, 영토와 함께 국가를 이루는 3대 요소입니다. 국민과 영토가 있더라도 주권이 제대로 행사되지 않는 국가는 진정한 주권 국가라고 할 수 없습니다. 인류 역사에서 주권의 개념이 처음부터 있었던 것은 아닙니다. 오늘날 국민들이 주권을 가지게 된 데에는 우여곡절이 많았답니다.

주권의 역사

주권은 영어로 'sovereignty'라고 하는데 라틴어 'superanus(우월이라는 뜻)'에서 유래되었고, 프랑스에서는 'souveraineté'이라고 하여 최고 권력을 나타낼 때 사용합니다. 프랑스에서 이 단어를 처음 사용한 사람은 장 보댕이었습니다.

절대 왕정의 상징 루이 14세의 초상

16세기에 장 보댕은 정치 공동체에서 일어나는 종교적 내란과 봉건 영주들의 저항을 해결하기 위해서는 분쟁의 원인이 되는 여러 종류의 권력을 제압할 수 있는 강력한 권력, 즉 주권이 있어야 한다고 생각했습니다. 이러한 주권은 단일성과 지속성을 가져야만 제대로 작동될 수 있으며 그러기 위해서는 군주 한 사람이 주권자가 되어야 한다고 주장했습니다. 장 보댕의 생각은 당시 절대 군주정의 정당성을 강화하는 데 큰 역할을 했습니다.

17세기 말 존 로크는 주권을 하나가 아니라 다수로 나눌 수 있다고 생각했습니다. 주권은 선출된 사람에게 주어질 수 있고 임기로 제한할 수 있다는 주장을 하여 장 보댕의 단일성과 지속성을 부정했습니다. 존 로크는 '입법권은 모든 국가에서 최고의 권력이다.'라고 주장하며 정치 사회의 최고 권력을 입법권에 부여했습니다. 존 로크는 '집행권은 입법권에 분명히 종속되고 책임을 져야 하며 또

한 입법부의 뜻에 따라 변경되고 해임된다.'며 집행권을 지닌 집행부는 입법권을 가진 입법부의 승인을 받아야만 자신의 권력을 사용할 수 있도록 했습니다.

하지만 존 로크는 집행부가 입법부를 무력 등의 방법으로 무시할 때 입법부가 실질적으로 집행부를 제어할 수 있는 방법은 제시하지 못했습니다. 그래서 어떤 학자들은 존 로크가 집행부에 최고 권력을 부여하지는 않았으나 실질적으로 그렇게 만들어 주었다고 주장합니다.

존 로크는 주권 중에서 가장 큰 주권(최고 권력)은 인민에게 있다고 했습니다. 존 로크는 '입법부는 일정한 목적을 위해서만 활동할 수 있는 신탁된 권력이므로 입법부가 그들에게 맡겨진 신탁에 반해서 행동하는 것이 발견될 때 입법부를 폐지하거나 변경할 수 있는 최고 권력은 여전히 인민에게 있다.'고 하여 입법부는 함부로 법을 제정해서는 안 되며 반드시 전체 인민의 복지를 위해서 해야 하고, 인민의 동의 없이는 세금을 함부로 올릴 수 없도록 했습니다. 그리고 '국가의 힘을 장악하고 있는 집행권이 입법부를 소집과 활동을 요구함에도 불구하고 이를 방해하기 위해 무력을 사용한다면 어떻게 되겠는가? 인민은 그들의 권력을 행사하여 그들의 입법부를 본래대로 회복시킬 권리를 가지고 있다.'고 하며 인민이 집행부를 제어할 수 있는 권리를 가지고 있음을 분명히 밝혔습니다.

주권의 종류

- **영토 주권**: 자국의 영토에 대한 주권을 다른 나라에 행사할 수 있는 권리를 말합니다. 영토 주권은 매우 민감한 사안이므로 영토 주권에 침해가 있을 때는 전쟁이 일어나기도 합니다. 세계사를 볼 때 큰 전쟁은 대부분 영토 주권을 침범하거나 훼손당했을 때 일어났습니다.
- **외교 주권**: 외교 주권은 주권 국가가 다른 나라와 상호 신뢰 관계를 수립할 수 있는 권리를 말합니다. 우리나라는 한 때 을사늑약으로 일본에게 외교 주권을 빼앗긴 적이 있었습니다. 그리고 부탄이라는 나라는 현재 외교 주권을 인도에게 위임한 상태이므로 다른 나라와 자주적인 외교를 할 수 없습니다.
- **군사 주권**: 자국의 영토와 국민들을 지키기 위해 행사하는 군사적인 권리입니다. 독립 국가들은 대체로 군사 주권을 가지고 있으나 일부 약소국은 자국의 방위를 보다 견고하기 위한 하나의 방법으로 강대국으로부터 군사적 보호를 받는 대신에 군사 주권을 양도하기도 합니다.

5장 법 제정의 원리

5장
법 제정의 원리
법

몽테스키외는 입법자가 법을 제정할 때에는 반드시 각 정체의 원리에 충실해야 한다고 했어.
정체의 원리
법

그럴 때 각 정체의 행정 또는 사법 기관이 긴장을 하게 되고,
내가 정체의 원리대로 했었나?
나도 불안하다네….

각 정체의 원리도 더욱 큰 힘을 발휘할 수 있기 때문이야.
원리

그럼 입법자가 법을 제정할 때 염두에 두어야 할 정체의 원리에는 무엇이 있는지 살펴볼까? 먼저 민주정체부터 알아보자.
날 따라 오세요~.
민주 정체

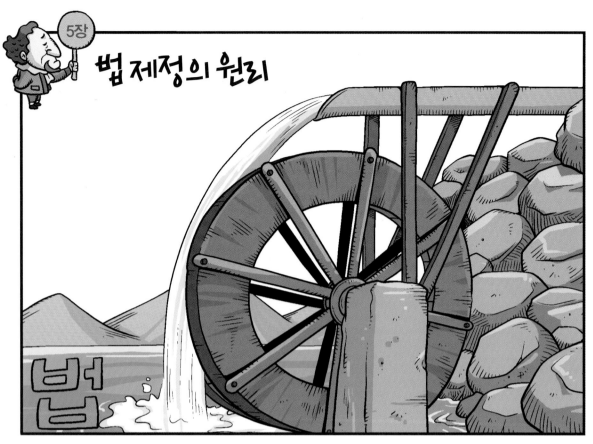

민주정체
민주정체의 원리는 덕성이라고 앞에서 이야기했지.
덕성
민주정체
몽테스키외는 이 민주정체의 덕성을 국가에 대한 사랑이라고 정의했어.
국가에 대한 사랑이란 곧 민주정체에 대한 사랑을 의미해.
민주정체
몽테스키외는 민주정체 대한 사랑을 평등에 대한 사랑과 검약에 대한 사랑 두 가지로 나누어 생각했어.
민주정체에서는 모두가 평등하게 행복과 이익을 가져야 합니다. 또, 같은 즐거움을 느끼고 같은 희망을 품어야 하지요.
평등
민주 정체
검약
또한 모두가 동등하게 조국에 봉사를 해야 합니다.
사람은 태어나면서 조국에 막대한 채무를 집니다. 결코 그것을 모두 갚을 수는 없답니다.
이제 갚을 때도 되지 않았나?
내가 언제 빌렸다고 갚으래요?
그러므로 검약이 필요합니다.
검약이란 돈이나 물건 등을 아끼는 것을 말해.
평등과 검약에 대한 사랑을 지키고 발전시키려면 반드시 법이 필요해.
법
만약에 평등과 검약에 관련하여 법을 제정하지 않는다면
법
평등
검약
불평등이 사회 곳곳에 침투하여 민주정체를 무너뜨릴 거야.

아테네의 법 중에 '어머니가 다른 자매와의 결혼은 허용하지만, 아버지가 다른 자매와의 결혼은 허용하지 않는다.'는 조항이 있어.
우리 결혼하게 해 주세요~.
안 돼!
이 법은 민주정체의 원리인 평등에 바탕을 두고 있어.
평등
민주정체의 정신에 따르면, 같은 사람은 2인분의 토지를 상속받아서는 안 되거든.
저 땅도 내 걸로 가져올 수 없을까?
이게 무슨 말인지 좀 더 구체적으로 알아볼까? 결혼을 앞둔 어떤 남자가 있다고 가정하자.
이 남자는 아버지는 같고 어머니가 다른 이복자매와 결혼을 할 예정이야.
이 경우에 남자는 아버지의 유산만 상속받겠지?
내가 평생 모은 것이다. 받아라.
잘쓸게요. 아버지.
유산
결혼할 여자는 아버지가 같으므로 따로 유산이 없기 때문이야.
난 왜 안 줘요? 차별대우하지 말고 나도 주세요.
이번에는 남자가 아버지가 다르고 어머니가 같은 자매와 결혼을 한다고 해 보자.
그 자매의 아버지에게 아들이 없다면,
열 아들 딸 하나 안 바꾼다.
남자의 부인이 될 여자가 아버지의 재산을 물려받겠지?
정말, 이걸 다 주시는 거예요?
유산

남자는 자신의 아버지에게서 재산을 물려받을 테고,
유산
여기에 부인이 자신의 아버지로부터 물려받은 재산을 더하면
유산
그 남자는 2인분의 재산을 가지게 되는 거야.
와~. 난 부자가 됐다~.
유산
유산
이렇게 되면 어떤 사람은 1인분의 재산을 물려받고, 어떤 사람은 2인분의 재산을 물려받게 되잖아?
이건 불공평해.
그러니까 장가를 잘 가야지~.
유산
유산
유산
그래서 민주정체의 아테네에서는 아버지가 다른 자매와의 결혼을 법으로 금지한 거야.
우리, 이루어질 수 없는 건가요?
어쩔 수 없소. 잘 사시오.
알렉산드리아에는 이런 법이 없었지.
아테네에서는 아버지가 다른 자매와 결혼을 못 하게 하는 법이 있었지만, 알렉산드리아에서는 아버지가 다른 자매와 결혼하는 일이 일반적이었습니다.
잘 살거라~.
아테네처럼 이를 금지하는 법이 없었지요.
당시 알렉산드리아는 군주의 지배를 받고 있었거든.
알렉 산드리아
민주정체가 아닌 나라에서 재산을 공평하게 나누는 일은 그다지 중요하지 않았어.
이런 법이 어디 있어요~. 전 너무 적잖아요.
그냥 대충 가져가!

로마의 철학자인 세네카는 민주정체의 중요한 원리인 평등을 지키기 위해서는 토지를 균등하게 나누는 것이 아주 중요하다고 여겼어.
평등하지 못하면 서로 싸우게 돼!
세네카는 이와 관련하여 매우 지혜로운 법을 만들었는데,
지혜로운 법
세네카
그 법에 의하면 여러 명의 자식을 가진 아버지는
?
여러 자식 중 하나만 골라서 자기가 갖고 있는 토지를 상속해야 했어.
집까지 1등으로 갔다 온 사람에게 주겠다.
대신에 다른 자식들은 자식이 없는 사람들에게 양자로 입양시킨 후,
잘 부탁드립니다.
걱정마세요. 잘 키우겠습니다.
그 사람의 토지를 물려받게 해서
로마 시민의 수와 할당된 토지의 양이 일정하도록 조절했어.
몽테스키외는 민주정체에서 평등을 지키기 위해 몇 가지 주의할 점이 있다고 했어.
가장 중요한 것은 가난한 사람에게 공직을 맡겨서는 안 된다는 거야.
그럴 시간 없어. 난 돈 벌러 가야 해.
생계를 꾸려나가기 위해 노동을 해야 하는 사람이 공직을 맡으면 돈을 벌 시간이 없으므로 가난해집니다. 그러면 당연히 주어진 직무에 집중하기 어렵겠지요?

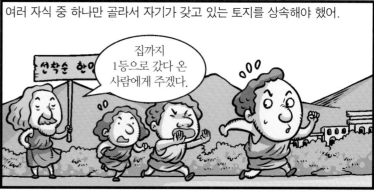

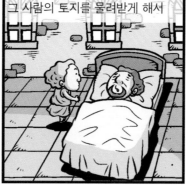

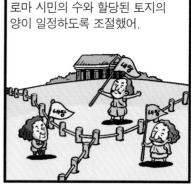

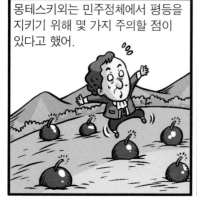

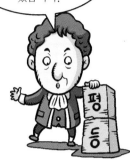

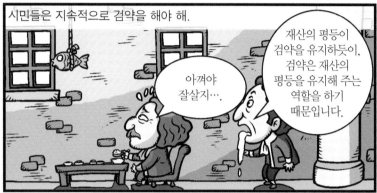

또한 수공업자가 너무 거만해지거나
바빠요. 다음에 오슈~.
해방 노예의 수가 너무 많아서 시민보다 세력이 강해지는 경우 등도 피해야 합니다.
이럴 경우에는 시민들의 평등이 민주정체의 이익을 위해 폐지될 수도 있습니다.
평등
민주정체에서 토지의 배분이 평등한 것만으로는 충분하지 못해.
이것뿐이야?
더 뭘 바래?
내 땅
시민들은 지속적으로 검약을 해야 해.
아껴야 잘살지….
재산의 평등이 검약을 유지하듯이, 검약은 재산의 평등을 유지해 주는 역할을 하기 때문입니다.
상업을 중요하게 여기는 민주정체 국가에는 일반적으로 유산을 모든 자녀에게 균등하게 나누어주도록 하는 법이 있어.
내 거가 조금 작은 것 같아요.
모두 똑같아!
이런 법은 훌륭한 법이라고 할 수 있어.
이런 법이 있기 때문에 자식들은 사치를 피하고 아버지처럼 성실하게 일하게 돼.
아버지가 아무리 큰 부자라 해도 그 부를 골고루 나누어 받은 자식들은 노력을 하지 않으면 아버지보다 더 큰 부자가 될 수 없음을 알기 때문이지.
나도 아버지처럼 부자가 될 거야.
나도!

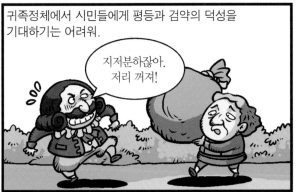

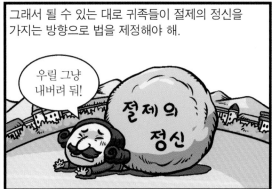

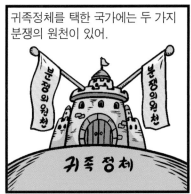

귀족정체
같은 공화정체이지만 귀족정체는 민주정체와 큰 차이점이 있어.
귀족 정체
민주 정체
공화 정체
귀족정체 사회에서는 사람들이 가지고 있는 재산의 규모가 본질적으로 다를 수밖에 없으므로 불평등한 사회구조를 가지지.
부럽다, 부러워~.
뭘 봐? 일이나 해!
귀족정체에서 시민들에게 평등과 검약의 덕성을 기대하기는 어려워.
지저분하잖아. 저리 꺼져!
그래서 될 수 있는 대로 귀족들이 절제의 정신을 가지는 방향으로 법을 제정해야 해.
우릴 그냥 내버려 둬!
절제의 정신
귀족정체를 택한 국가에는 두 가지 분쟁의 원천이 있어.
분쟁의 원천
분쟁의 원천
귀족 정체
하나는 통치자와 피통치자 사이의 극단적인 불평등이고,
다른 하나는 통치자 계급의 여러 구성원들 사이의 불평등이야.
귀족들은 절제의 정신으로 국가가 필연적으로 앗아가는 평등을 회복하도록 노력해야 해.
평등
절제의 정신
귀족정체의 절제는 민주정체에서 평등 정신과 맞먹을 만큼 중요한 원리라고 할 수 있어.
절제
평등
민주 정체
귀족 정체

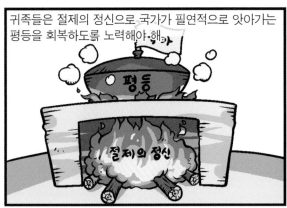

국왕을 둘러싸고 있는 사치와 화려함이 권력의 일부를 이룬다고 한다면,
귀족은 자신의 권력을 절제된 생활 태도와 겸손함으로 지켜 나가야 해.
아까운데…. 세수한 물로 발도 씻을까?
귀족이 평민과 사귀고,
내 아를 낳아도!
평민과 같은 옷을 입는다면
어디서 많이 봤는데….
평민들은 자신들의 부족함을 잊을 수 있을 거야.
앞에서 말한 두 가지 불평등에서 증오와 질투가 생기므로
증오
질투
불평등
그것을 예방하고 저지할 수 있는 법이 제정되어야 해.
권력을 가진 상인은 사업 활동에서 온갖 종류의 독점적인 지위를 가질 수 있어.
그러므로 법으로 귀족들의 상업 활동을 엄격하게 금지시켜야 해.
나도 장사하고 싶다고.
법
상업

귀족이나 군주가 상인처럼 군다면 그 나라는 망할 수밖에 없어.
뭐야….
이번 달은
왜 이것밖에
못 팔았어?
예를 들어 베네치아에서는 귀족이 과도한 부를 얻을 수 있는 상업 활동을 못 하도록 법으로 금지시켰어.
베네치아
나도…
부자가 되고
싶다….
한편 법을 집행할 때는 엄격해야 해.
잘못했어요.
한 번만 용서해
주세요.
이미 늦었어.
사형.
법
법은 어떤 경우에도 권리의 남용을 제압할 수 있어야 해.
법
귀족들에게 도망가거나 변명할 수 있는 여지를 주면 귀족정체는 망할 수밖에 없어.
휴~
다행이다.
한 번만
더해야지!
따라서 귀족을 두렵게 만드는 사법관(司法官)의 존재가 필요해.
스파르타에서는 민선(民選) 장관이,
베네치아에서는 종교재판소의 판사가 그런 일을 했지.
군주정체의 원리는 명예야. 군주정체에서는 명예를 잘 지킬 수 있도록 하는 법을 제정해야 해.
명예
군주 정체
법
군주정체에서 귀족의 신분을 세습하도록 법으로 보장해 주는 것이 좋아.
이야~.
아빠 닮아서
똑똑해
보이는 걸?

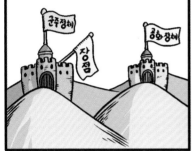

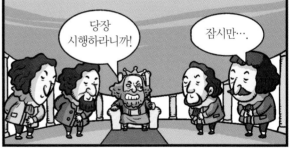

또한 법으로 귀족은 재산의 대부분을 아들 중 한 명에게 상속하도록 허용해야 해.
그래야 귀족들은 군주의 끝없는 욕구를 충족시킬 만한 재산을 가질 수 있고,
난 항상 배고파.
걱정마시 옵소서~.
대신에 일반 시민들에게 피해가 가는 일을 막을 수 있을 거야.
군주정체는 공화정체가 가지지 못한 큰 장점을 하나 가지고 있어.
군주정체
장점
공화정체
정무(政務)가 한 사람(군주)에 의해 좌지우지되므로 법의 집행을 매우 신속하게 할 수 있다는 거야.
법집행
그러나 자칫 그 신속성이 지나치면 문제가 생길 수 있어.
법의 처리를 맡은 기관들은 서두르지 말고 다소 여유가 있게 집행해야 해.
당장 시행하라니까!
잠시만….
으악! 답답해!
법관들은 여유 있게 일을 하여 군주의 급한 정무를 저지할 수 있어야 해.
아직도 안 한 거야?
좀 천천히 하시죠? 릴렉스~.

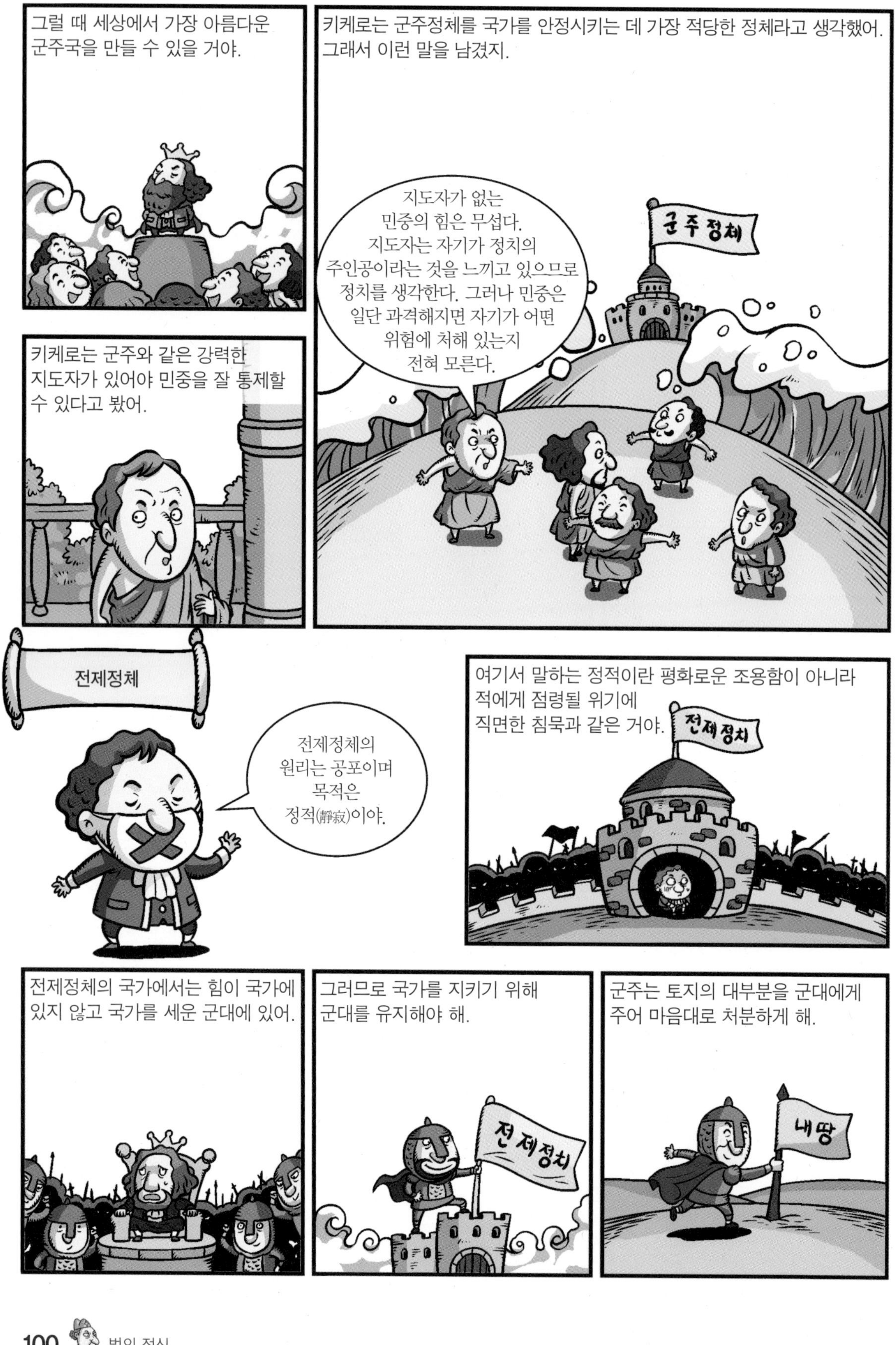
그럴 때 세상에서 가장 아름다운 군주국을 만들 수 있을 거야.
키케로는 군주정체를 국가를 안정시키는 데 가장 적당한 정체라고 생각했어. 그래서 이런 말을 남겼지.
지도자가 없는 민중의 힘은 무섭다. 지도자는 자기가 정치의 주인공이라는 것을 느끼고 있으므로 정치를 생각한다. 그러나 민중은 일단 과격해지면 자기가 어떤 위험에 처해 있는지 전혀 모른다.
군주정체
키케로는 군주와 같은 강력한 지도자가 있어야 민중을 잘 통제할 수 있다고 봤어.
전제정체
전제정체의 원리는 공포이며 목적은 정적(靜寂)이야.
여기서 말하는 정적이란 평화로운 조용함이 아니라 적에게 점령될 위기에 직면한 침묵과 같은 거야.
전제정치
전제정체의 국가에서는 힘이 국가에 있지 않고 국가를 세운 군대에 있어.
그러므로 국가를 지키기 위해 군대를 유지해야 해.
전제정치
군주는 토지의 대부분을 군대에게 주어 마음대로 처분하게 해.
내땅

전제정체에서 군주는 아들이 없는 사람의 상속 재산을 모두 몰수할 수 있어.
아들 없지? 가지고 있는 것 다 내놔!
곧 낳을 거예요~.
그러므로 사람들의 재산 소유는 늘 불안정할 수밖에 없어.
불안해서 안 되겠어…. 묻자!
몽테스키외는 이런 전제정체 국가의 예로 반탐이라는 이슬람 국가를 들었어.
반탐
그 나라에서는 법으로 군주가 국민들의 모든 재산뿐만 아니라,
내 건 줄 알지? 열심히 해라!
심지어 그의 아내와 자녀, 그리고 집까지도 빼앗을 수 있었다고 해. 사람들은 군주로부터 피해를 받기 않기 위해 전전긍긍해야 했을 거야.
사람들은 이 법의 적용을 받지 않기 위해서 아들을 열 살이 되지 않은 어린 나이에 결혼시켜야 했지요.
이제 장가갈 나이가 됐구나….
한편 전제정체에서는 왕위 계승에 관한 법이 가장 중요해.
왕위 계승에 관한 기본법이 없으면 나라가 불안정해질 수밖에 없거든.
기본법
터키에서는 왕가(王家)의 왕자들이 똑같이 왕으로 선출될 자격을 가지고 있었어.
터키
기호1
기호2
형제를 살해하는 치열한 경쟁을 해야 왕좌를 차지할 수 있었어.
페르시아는 왕이 되기 위해 형제를 장님으로 만들기도 했고,
가…갑자기 앞이 안 보여….
괜찮아~. 내가 돌봐줄게~.
몽골에서는 형제를 미치광이로 만들기도 했다고 해.
엄마!
뭐, 엄마? 네가 미쳤구나!

몽테스키외는 이런 문제가 없도록 왕위 계승의 순위는 국민들이 모두 공감할 수 있는 규정에 따라야 한다고 했어.
왕위 계승은 출생의 순위에 따라야 합니다. 이런 규정이 확고할 때 음모를 막고 야심을 억누를 수 있습니다.
왕위 계승 순위가 기본법에 의해 정해져 있을 때에는
여긴 태어날 때부터 내 자리야~.
단 한 사람의 왕자만 계승자가 되므로 왕자들이 왕위를 두고 다툴 필요가 없어.
형아는 좋겠다. 나중에 왕도 되고.
내가 왕 되면 더 예뻐해 줄게. 동생아~.
국왕의 형제나 이들을 따르는 다른 신하를 체포하거나 암살할 이유가 없어지지.
암살자 폐업이다, 흑!
자유를 사랑하고 폭력을 증오하는 인간의 본성은 전제정체를 원하지 않아.
전제정체
반대
반대
하지만 대부분의 민족이 전제정체를 택하고 있어.
전제정체
전제정체
전제정체
전제정체
그 이유는 전제정체가 여러 부족의 힘을 결합하고 조절하기에 유리하기 때문이야.
전제정체
그리고 전제정체 국가는 금리가 다른 정체의 국가보다 높은 편이야.
돈, 빌려드립니다
순 날강도 아냐? 이자가 원금보다 더 높아!
전제정체에서는 돈을 빌려주는 데 따르는 위험이 크므로 누구나 자기의 돈 가치를 높이려 하기 때문이지.
왜 이것밖에 안 줘요?
내 돈은 너희들 것과는 질이 달라~.

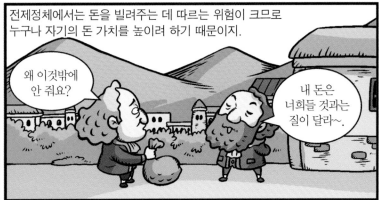

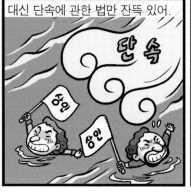

그러므로 전제정체에서 상인은 큰 장사를 할 수 없고 하루살이처럼 작은 장사를 해.
이걸 팔아서 저녁 먹을 쌀을 사야겠다.
만약 그가 돈을 빌려 많은 상품을 사들인다면 상품 판매로 버는 것 이상을 이자로 손해보기 때문이야.
뭐야~. 많이 번 것 같은데 빚만 졌잖아~.
이자
이자
이자
그래서 전제정체에서는 상업에 관한 법이 거의 없고,
운이 좋으면 남을 거야~. 많이 팔고 와!
어떻게 팔라는 거야?
대신 단속에 관한 법만 잔뜩 있어.
단속
상인
상인
전제정체 국가에서는 윗사람을 만날 때 선물을 하는 것이 통례야.
뭘~. 이렇게까지….
몽골 제국의 황제는 무엇인가를 받지 않고는 결코 신하의 청원을 들어주지 않았다고 해.
빈손 아니지?
물론이죠~.
왜 전제정체에서는 군주나 관리들이 선물을 탐하게 되었을까?
전제정체
전제정체 국가에서 일반 국민들은 자유로운 의지를 가지지 못해.
또한 상급자는 하급자에 대해 아무런 의무도 없어.
지금까지 저희가 일했으니 조금만 도와주십시오.
내가 왜?
그러므로 일반 국민이 군주나 고관에게 소송이나 진정을 하는 일이 거의 없지.
묻지도 따지지도 말라~.

정상적인 방법으로 군주나 고관을 만날 길이 없어.
저곳은 그림의 떡이로구만….
그러게 말이야….
때문에 선물이라도 주어야 윗사람을 만날 수 있다는 풍토가 생긴 거야.
약소합니다. 한 번만 만나게 해 주십시오.
험험…. 자꾸 이러면 곤란한데….
전제정체에는 공화정체의 덕성이나 군주정체의 명예와 같은 고귀한 원리가 없기 때문에
덕성
명예
공화정체
전제정체
군주 정체
군주나 고위 관리들은 선물을 챙기는 일에 부끄러움을 가지지 않아. 오히려 당연하다고 생각하지.
요즘은 가져오는 게 신통치 않아~.
아테네의 철학자 플라톤은 자기 의무를 이행하는 데 선물을 받은 자들은 처형해야 한다고 했어.
좋은 일을 위해서도 나쁜 일을 위해서도 결코 선물을 받아서는 안 됩니다.
이런…. 돈벌레!
으아악!
로마의 법은 관리가 약간의 선물을 받는 것을 허용했는데 결코 좋은 법이라고 할 수 없어.
아무것도 받지 않는 자는 바라는 게 없지만,
자꾸 이러면 곤란해. 가져가게!
약간이라도 받은 자는 얼마 안 가서 그보다 조금 더 받기를 바라고
다음에는 더 많이 바라기 때문이야.
자네들은 항상 똑같구만. 조금 더 양을 늘려 보라고!

민법과 형법 그리고 재판에 관련하여
군주정체에서는 판결을 위한 재판소가 필요해. 그리고 판결에 대한 자료는 잘 보존되어야 해.
법
판결에는 일관성이 있어야 하기 때문이야. 어제의 판결과 오늘의 판결이 같아야 하지.
요즘은 내가 기분이 나빠서 유죄!
예?
또한 판결은 시민의 재산과 생명을 확실하게 지켜 주어야 해.
판결문
특히 시민과 귀족의 명예를 지키는 판결을 해야 해.
누명인 것이 명백하므로 무죄임을 선고한다.
오~, 나의 실추된 명예를 되찾는구나~.
군주정체의 원리는 명예이기 때문이야.
명예
나의 이름은 중요하지!
군주 정체
그래서 판결은 매우 조심스럽고 신중해야 하지.
내 판단에 이 사람의 운명이 달려 있어.
전 억울합니다.
군주정체에서는 국민들의 신분과 재산 등이 불평등하므로 이와 관련한 법이 많아.
여러 신분과 재산을 규정하기 위해 다양한 민법이 많이 필요해.
많다, 많아….
반면에 전제정체에서는 민법이 거의 필요하지 없어.
전제정체
토지는 군주 한 사람에게 귀속되므로 토지에 관련된 민법은 필요가 없습니다.
복잡할 게 하나도 없어…. 다 내 땅이야.
군주는 시민의 재산에 대해 상속권을 가지므로 상속에 관한 민법 역시 필요가 없습니다.
이리 내놔!
상속권

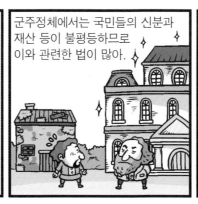

군주가 독점적으로 교역을 하므로 상업에 관련된 법도 별로 필요가 없습니다.
제발 이곳에서 장사하는 걸 허락해 주십시오.
몽테스키외의 주장에 따르면 전제정체에서는 대부분의 일이 도덕에 따라 규정되는데,
전제 정치
도덕
그 도덕의 기준은 주로 군주나 주인, 또는 남편의 의지에 불과하다고 했어.
그러므로 일반 국민이나 여성, 그리고 노예들은 자신의 이익을 지킬 기회를 모두 빼앗긴 상태에 있는 거야.
대표적인 예로 터키를 들 수 있어. 터키의 군주는 신하의 재산이나 생명 그리고 명예에 대해서는 거의 관심을 두지 않아.
집에 도둑이 들어 재산을 몽땅 훔쳐 갔습니다.
장군께서 화살에 맞아 전사하셨습니다.
나하곤 상관없잖아~.
모든 송사는 대강 처리되는데, 처리한다는 사실에 더 큰 의미를 둘 뿐이야.
대충 발로 끄적이면 되는 거지~.
반면에 공화정체나 군주정체에서는 죄인을 치밀하게 조사하지 않고,
조사할 것도 없이 네가 범인이 분명해.
억울해요.
명예와 재산을 빼앗을 수 없어.
증거가 불충분하므로 정확히 조사 후 재판을 다시 진행하겠다.
가장 비천한 시민의 목숨까지 존중하기 때문이야.

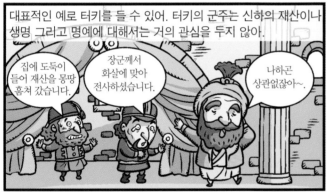

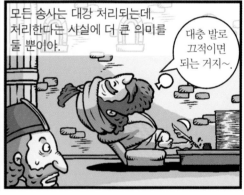

어떤 사람의 죄를 묻고 그의 생명을 빼앗는 것은 국가 자체가 그를 고발할 때뿐이야.
고발
그럴 경우라도 국가는 그에게 자신의 생명을 지킬 모든 가능한 수단을 보장해 줘야 해.
변호사를 불러 주시오.
따라서 공화정체나 군주정체에서는 재판의 절차가 중요해.
절차
공화정체
군주정체
그런 절차들은 시민의 명예, 재산, 생명, 자유를 중시할수록 늘어나고 복잡해지지.
뭐가 이렇게 복잡한 거야?
그리고 시민의 재산과 명예, 또는 생명이 문제가 될 경우,
시민에게 불리한 방향으로 법을 해석하는 일은 용납되지 않아.
불리한 법
공화정체에서 재판은 반드시 법이 정한대로 해야 해.
이 길이 옳은 길이야!
법이 정한 길
한때 스파르타에서 민선 장관이 법에 따르지 않고 자의적으로 재판했는데,
귀찮아. 그냥 죽여 버려!
이런 법이 어디 있어요. 난 억울해요!
이것은 나중에 스파르타를 어렵게 만든 큰 결함이 되었어.
스파르타

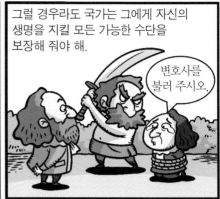

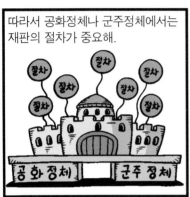

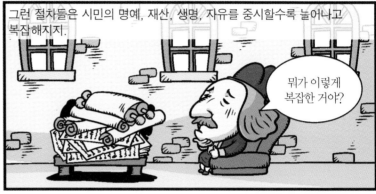

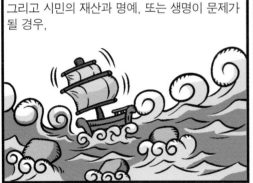

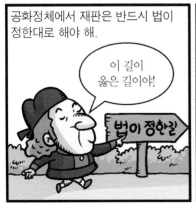

로마도 초기에는 집정관들이 스파르타의 민선 장관처럼 자의적인 판단에 따라 재판을 했어.
로마
스파르타
그러다가 그 방법에 문제점이 많다는 것을 알았고
이건 아닌 것 같은데….
법조문을 만들어 법에 따라 재판을 했어.
기다려. 법조문을 읽고 판결 내리겠다.
군주정체에서도 기본적으로 법에 따라 재판을 진행해.
군주정체
법
법이 명문화(明文化)되어 있는 경우 재판관은 그것에 따르고,
봐! 적힌 대로 판결했다니까?
그렇네….
법
법이 명문화되어 있지 않을 경우에는 법의 정신을 탐구해서 적용하지.
흠흠…. 이봐! 날 탐구하면 어떡해?
군주정체의 재판을 '중재 재판'이라고 해.
중재재판
재판관들이 함께 심의하고 서로 의견을 교환하며 타협해서 판결을 하는 거야.
자신과 타인의 의견을 일치시키기 위해 수정도 하지.
음…. 내가 잘못 생각하고 있는 건가?
그렇다니까….
소수의 의견이 대다수의 의견 쪽으로 끌려가기도 해.
빨리 이쪽으로 오라구!!

반면에 공화정체에서는 중재 재판이라는 방법을
사용하지 않아.
공화정체
중재재판
로마와 그리스의 도시국가에서 재판관은
결코 협의를 하지 않았어.
내 말이
곧 법이다!
재판관들은 각자 다음의 세 가지 방법 중 한 가지를 택해 의사를 표현했지.
나는 무죄를
선고한다.
나는 유죄를
선고한다.
나로서는
분명하지
않다.
로마 인들은 그리스의 예를 따라
재판을 할 때 여러 방식을 도입했어.
대표적인 입법자로 솔론을 들 수
있어.
솔론은 시민 재판관이 형사재판에서
그 권력을 남용하는 것을 교묘하게
예방했어.
빈손으로
왔어? 에이~
이건 아니지!
시민 재판소
그는 최고 법원으로 하여금
사건을 재심하게 했는데,
우리가 다시
한 번 심의를
해 보겠다.
이미 끝난
재판인데요?
최고 법원
시민 재판소
피고가 무죄 판결을 받은 것이
부당하다고 생각될 경우에는
키키키.
바보들,
속았지?
재판소
억울해.
시민들 앞에서 다시 탄핵하게 하고

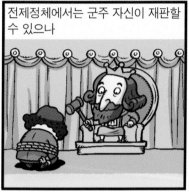

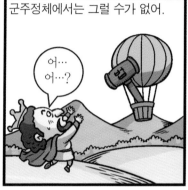

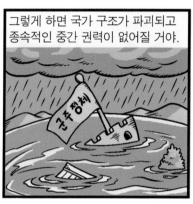

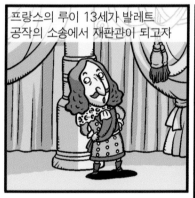

또 부당하게 유죄 선고를 받았다고 생각될 경우에는 형 집행을 정지하고 사건을 재심하게 했어.
멈추어라!
그것은 시민들로 하여금 가장 존경하는 재판관을 감찰하게 하고,
잘하고 계시죠?
재판관
그… 그럼….
또 시민 자신을 감독하게 하는 훌륭한 법이었어.
전제정체에서는 군주 자신이 재판할 수 있으나
군주정체에서는 그럴 수가 없어.
어… 어…?
그렇게 하면 국가 구조가 파괴되고 종속적인 중간 권력이 없어질 거야.
군주정체
프랑스의 루이 13세가 발레트 공작의 소송에서 재판관이 되고자
몇 명의 고등법원 관리들을 모아 놓고 각자의 의견을 말하게 했을 때였어.
이때 벨리에브르 의장은 이렇게 말했지.
이 사건에는 한 가지 기괴한 점이 있습니다. 즉 군주가 신하의 소송에 관해 의견을 진술하고 있는 것입니다. 국왕은 본래 은사(恩赦)를 내리기 위해 존재해야 합니다. 죄의 선고는 법관들에게 맡겨야 합니다.

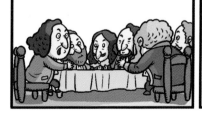

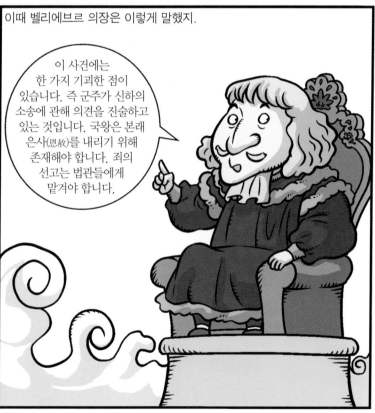

그럼에도 국왕의 주도 하에 판결이 내려지자 벨리에브르 의장은 이렇게 말했어.
프랑스 국왕의 의견에 따라 한 귀족을 사형에 처한 일은 과거부터 오늘에 이르기까지 그 전례가 없는 일입니다.
벨리에브르가 이렇게 말한 것은 군주에 의해 내려진 판결은 끊임없는 부정부패의 원천이 되기 때문이야.
군주가 그러면 좀 어때서~.
몇몇 로마 황제는 직접 재판에 참여하였는데,
어떤 황제의 치세 때보다도 판결이 불공정했어.
내가 사형이라면 사형인 거야!
사형
예를 들어 클로디우스는 자기 마음대로 재판관 역할을 했는데 실수가 많았어.
뭐라. 진짜 범인이 잡혔다고?
이미 사형시켰는데 어찌합니까?
그래서 클로디우스의 뒤를 이어 왕위에 오른 네로는 다음과 같이 말하면서 로마 시민들의 인심을 얻으려고 했어.
나는 일체의 사건에 재판관이 되는 것을 피할 것이다.
원고와 피고가 재판소의 영역 안에서 부정한 권력에 희생되지 않기를 바라기 때문이다.
몽테스키외는 법이 군주의 눈이어야 한다고 했어.
법
오~ 잘 보인다, 잘 보여~.
군주는 법을 통해서 법 없이는 결코 볼 수 없는 것을 봐야 합니다. 만약에 군주가 재판관의 직무를 수행하려 한다면 그것은 자신을 위해서가 아니라 자신의 뜻에 반대하는 자들을 위해 일하는 것이 됩니다.

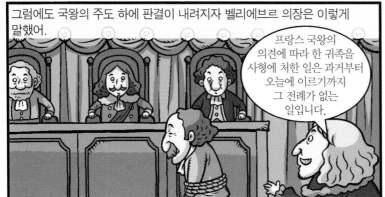

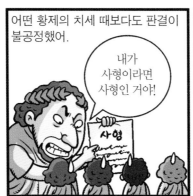

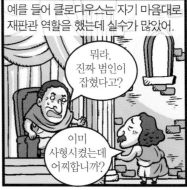

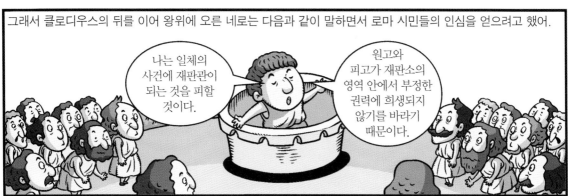

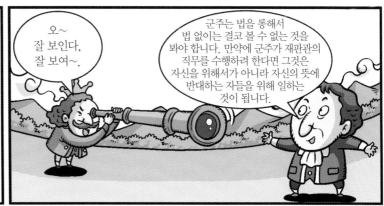

한편, 가혹한 형벌은 공포가 원리인 전제정체에나 적합한 것이야.
전제정치
덕성을 소중히 여기는 공화정체에서는 조국애가,
공화정
명예를 소중히 여기는 군주정체에서는 남에게서 비난을 받는 일을 수치스럽게 여기는 것 자체가 범죄를 막는 중요한 동기가 되거든.
저런 파렴치한!
명예도 모르는 작자 같으니라고!
창피해서 이곳에서 살 수 없겠구나.
악행에 대한 벌은 그것을 깨닫게 하는 일이야.
그래. 내가 한 행동은 해선 안 될 부끄러운 행동이었어.
따라서 공화정체에서 시민법은 쉽게 교정되고 또 제정에 어려움이 많지 않아.
또 잘못하면 안 돼~.
그럼, 그럼. 다시 나쁜 짓 안 할 거야~.
공화정체에서 입법자는 죄에 대해 벌하기보다는
너에게 죄를 묻겠다!
그것을 예방하는 일에 힘을 써야 해.
이 정도면 도둑도 못 오겠지.
개조심
또 체형(體刑)*으로 벌하기보다는 미풍양속을 심는 일에 노력해야 해.
미풍양속
미풍양속
중국의 위대한 저술가들은 체형이 늘어날수록 혁명이 가까워진다고 했어.
이 나라의 앞날이 어둡구나.

* 체형 : 징역, 태형, 사형 따위와 같이 직접 사람의 몸에 형벌을 가함.

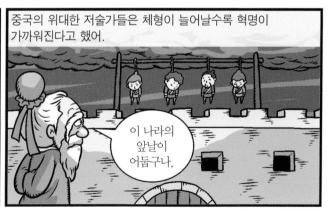

시민에게 덕성이 많을 때는 형벌이 필요하지 않아.
할머니, 제가 짐들어 드릴게요~.
아휴~. 고마우이, 젊은이.
로마 시민은 성실했어. 그 성실의 힘이란 참으로 대단했지.
입법자가 국민들에게 선을 베풀게 하기 위해서는 그들에게 선이 무엇인가만 알려 주기만 하면 되었어.
?
선
에~, 이 선으로 말할 것 같으면….
법령 대신에 국민에게 선행을 권장하는 것만으로 충분했지.
요즘 선행을 베푸는 게 유행이라며?
난 오늘도 불우 이웃을 돕고 오는 길이라네~.
관대한 나라에서 가벼운 형벌로 받는 정신적 충격은
죄인은 반성문 10장을 제출하라!
엄격한 나라에서 심한 벌을 받는 것과 정도가 비슷하다고 해.
반성문 10장이라니…. 너무 심한 벌이잖아….
강권한 정부는 불편한 일이 생기면
요즘 나라 곳곳에 강도들이 들끓어 매우 혼란스럽습니다.
갑자기 그 일을 교정하고자 낡은 법을 집행하는 대신에
음….
낡은 법
당장 그 해악을 막을 가혹한 형벌을 만들어.
법이 약해서 그래! 강력한 법을 만들어 엄벌에 처하리라!

그로 인해 정부는 힘을 낭비하고
정부
국민들은 금세 그 무거운 형벌에 익숙해져서
집같이 편안해졌어.
예전의 가벼운 형벌 정도로 느끼게 돼.
어쩔 테냐? 반성문 10장 쓰고 나올래?
귀찮아. 그냥 여기 있을래~.
벌에 대한 공포는 갈수록 점점 줄어들기 때문에
공포
끊임없이 더욱더 무거운 벌을 제정하지 않을 수 없어.
이런 벌로는 안 되겠어. 사형을 시켜야 하나?
법
한때 프랑스에서 노상강도가 아주 심했던 적이 있었어.
가진 거 다 내놔!!
정부는 이를 막기 위해 차열형, 즉 죄인의 머리와 사지를 각각 수레에 묶어 몸을 찢어 죽이는 형벌을 시행했어.
그 결과 한 동안은 노상강도가 일어나지 않았지.
정말 살기 좋아졌지?
그럼~. 밤길도 안전하고 좋아~.
노상강도는 다시 심해졌어.
흐흐흐…. 내가 사라진 줄 알았지?
뭐… 뭐야!?
차열형이라는 참혹한 형벌에서 느끼는 공포감이 줄어들었기 때문이야.
공포

이를 볼 때 극단적인 방법은
큰 도움이 안 되며
나의 복수는 자식이 대신 해 줄 것이다!
자연을 통해 얻은 방법이
적절하다는 것을 알 수 있어.
자연은 인간에게 수치심과 양심의
가책을 주었어.
수치심
양심의 가책
형벌은 형벌을 받는다는 수치심을
느끼도록만 하면 되는 거야.
너에게 어떤 형벌을 줄까?
난 이미 죽은 거나 마찬가지오.
형벌을 받고도 부끄럽지 않다고
생각한다면 그것은
폭정의 결과야.
난 떳떳합니다.
이런 고얀 놈. 네놈이 죽어야 고갤 숙이지!
폭정은 누구에게나 동일한 형벌을
주기 때문이야.
앤 사람을 죽이고 난 쌀 한 섬 훔친 것 뿐이라구요.
귀찮아. 둘 다 사형!!
잔혹한 형벌에 사람들이 억압받는
나라가 있다면
그것도 역시 폭정의 결과라고
할 수 있어.
그 정부는 가벼운 죄에도 잔혹한
형벌을 행사해 왔기 때문이야.
때로는 지나친 형벌로 인해
전제정체가 부패할 수도 있어.
전제정체
대표적인 나라로 일본이 있지.
일본에서는 거의 모든 죄를 죽음으로
다스려.

일본에서 위대한 왕(천황)에 대한 불복종은 엄청난 범죄야.
일본에서는 죄인을 교화하는 것보다
한 번만 용서해 주세요.
군주의 위광을 더럽힌 일에 대해 응징하는 것이 더욱 큰 의미를 가졌지.
죽는 것을 영광으로 알아라!
일본인들의 이러한 생각은 노예근성에서 나왔다고 생각해.
왕이 모든 재산의 소유자이기 때문에,
이 세상의 것은 다 내 것이야~.
범죄는 모두 왕의 이익에 반하는 행위인 셈이거든.
범죄자들을 모두 잡아들여라!
저 욕심은 어디까지야?
현명한 입법자라면 형벌과 보상이 적절하게 균형 잡힌 법을 제정했을 거야.
형벌
보상
또한 법을 만들 때 일본인의 성격에 적합한 철학, 도덕, 종교 등을 감안했겠지.
철학
도덕
종교
명예로운 규율을 통해 사람들을 교화하려고 했을 거야.
정말 감사합니다. 열심히 살게요.
앞으로 실수하지 말거라~.
하지만 일본에는 그런 현명한 입법자가 없었어.
입법자
흉흉해진 민심을 이끌기 위해서 보다 잔혹한 법들이 생겨났지.
법
이것이 일본의 법의 기원이고 정신이야.

형벌은 조화가 아주 중요해.
작은 죄보다 큰 죄를 피하고,
큰죄
작은 범죄보다 사회에 큰 충격을 주는 대형 범죄를 피하는 일이 더 중요하기 때문이야.
모스크바 공국에서는 도둑과 살인에 대한 형량이 같았기 때문에 살인이 끊이지 않았어.
내 얼굴을 봤으니 죽어라. 어차피 벌은 똑같잖아.
살려 주세요.
반면 영국에서는 살인이 드물었어.
살인
도둑은 식민지로 보내졌지만 살인자에게는 아무 희망도 없었기 때문이야.
그래도 다행이다….
흑흑…. 부러워….
희망
좌절
군주가 지닌 사면권은 현명하게 집행되면 효과가 훌륭해.
사면권
공화정체는 덕성을 원리로 하니까 사면은 그다지 필요하지 않아.
공화정체
덕성
전제정체에서는 공포에 의해 지배하므로 사면이 필요 없어.
사면권
반면에 명예를 소중하게 여기는 군주정체에서는 사면이 필요해.
사면권
군주정체
귀족이나 고관들의 지위를 안정시켜 주는 일이 중요하지.
군주가 귀족이나 고관들의 죄를 사해 줌으로써 그들로부터 충성을 받는 거야.
다신 그런 실수하지 말라.
감사합니다. 앞으로 충성을 다할게요.
사면권

플라톤의 철학

서양 철학의 시작 플라톤

1510년 교황 율리우스 2세는 라파엘로에게 '서명의 방'에 어울리는 그림을 그려달라는 부탁을 했습니다. 라파엘로는 교황의 명에 따라 그림을 그렸는데 그것이 바로 〈아테네 학당〉입니다. 라파엘로는 인간의 정신 세계를 수십 명의 인물로 표현했는데 그림의 중심에 인간의 이성을 대표하는 두 사람을 그렸습니다.

라파엘로가 그린 〈아테네 학당〉

왼쪽은 플라톤이고 오른쪽은 아리스토텔레스로 두 사람은 나이 차이가 44살이나 나지만 동시대를 살았고 스승과 제자였습니다. 플라톤의 손을 자세히 보면 손가락의 끝이 하늘을 가리키고 있습니다. 이것은 플라톤의 철학이 현실보다는 이상적인 정신 세계, 즉 이데아를 추구하고 있음을 상징합니다. 반면에 제자였던 아리스토텔레스는 오른쪽 손바닥을 땅으로 향하고 있습니다. 이것은 이데아를 강조한 스승과는 달리 현실 세계를 중요하게 여겼던 그의 철학을 상징하고 있습니다. 플라톤은 서양 최초의 학교인 아카데미아를 세워 철학 강의를 했으며 그의 학교에는 아리스토텔레스와 같은 뛰어난 철학자들이 모여 학문을 했습니다. 현대 철학자 중의 한 사람인 화이트 헤드는 '모든 서양 철학의 전통은 플라톤에 대한 각주(해석)에 불과하다.'는 말을 하여 서양 철학자 중에서 가장 중요한 인물로 플라톤을 손꼽았습니다.

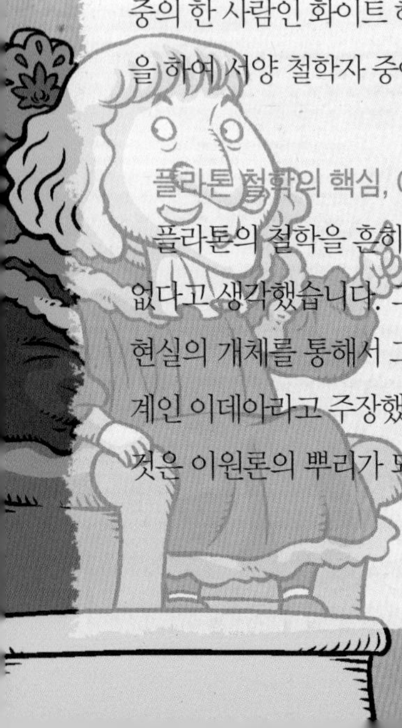

플라톤 철학의 핵심, 이데아론

플라톤의 철학을 흔히 이데아론 또는 관념론이라고 합니다. 플라톤은 아무도 사물의 본질을 알 수 없다고 생각했습니다. 그는 사물은 우리의 관념 속에 존재할 뿐 현실에는 그 모습을 드러내지 않고 현실의 개체를 통해서 그 모습을 그려 낼 뿐이라고 여겼습니다. 사물의 본질이 있는 곳은 관념의 세계인 이데아라고 주장했습니다. 플라톤은 세상을 현실 세계와 이데아 두 가지로 나누어 생각했고 이것은 이원론의 뿌리가 되었습니다.

플라톤은 현실 세계를 부정적으로 보았습니다. 그는 현실 세계는 경험의 세계이고 온갖 술수와 음모가 있고, 탐욕과 경쟁이 있으며 지저분한 쓰레기가 존재하는 곳이라 여겼습니다. 반면에 이데아는 본질의 세계이며 불멸의 세계로 지고지순한 세계라 했습니다. 이데아는 경험으로는 알 수 없고 생각, 즉 이성으로만 알 수 있다고 했습니다. 따라서 플라톤 철학의 핵심은 인간의 이성이라 할 수 있고, 이런 사상은 근대 철학까지 이어졌습니다.

플라톤의 이데아론은 서양 사람들이 이원론적인 세계관을 형성하는 데 아주 중요한 역할을 했습니다. 중세 기독교가 득세를 했던 시절에 서양 사람들이 천국 또는 내세를 현실보다 더 중요하게 여기며 살았던 것도 어쩌면 플라톤의 영향이었을지도 모릅니다. 《열린 사회와 적들》이라는 책을 쓴 칼 포퍼는 플라톤이 사람들을 목적론적 세계관에 갇혀 살게 했으므로 열린 사회의 대표적인 적이라고 비판했습니다. 또한 철학자 니체는 플라톤 때문에 사람들이 신의 그림자에 갇혀 살았으며 기득권자의 논리에 놀아났다고 크게 비판하기도 했습니다.

철인정치(哲人政治)

플라톤은 이데아의 세계로 가기 위해 모든 사람이 올바르게 살아야 한다고 여겼습니다. 그는 개인이 정의로우려면 국가가 정의로워야 한다고 믿었고, 정의로운 국가를 만들기 위해서는 지혜로운 자, 즉 철학자가 통치해야 한다고 생각했습니다. 그래서 철인정치(哲人= 철학자)라는 말이 나오게 된 것이지요.

플라톤은 정의로운 국가를 이루기 위해서는 사람들이 자신들의 계급에 맞는 삶을 살아야 한다고 했습니다. 플라톤은 국가의 머리에 해당하는 통치 계급은 철학자가 맡고, 가슴에 해당하는 수호자 계급은 군인이 맡고, 배에 해당하는 생산자 계급은 일반 시민이 맡아야 한다고 주장했습니다. 통치 계급은 탐욕을 버리고 지혜가 있어야 하고, 수호자 계급은 용기가 있어야 하고, 생산자 계급은 절제가 있을 때 정의로운 사회를 이룰 수 있고 이데아에 가까이 갈 수 있다고 믿었습니다. 플라톤은 이렇게 되기 위해서는 통치 계급과 수호자 계급에 해당하는 사람들은 사유재산을 없어야 하고 모든 것, 심지어 부인까지도 공유해야 한다고 했습니다. 부인을 공유하면 누가 내 자식인 줄 알 수 없으므로 상속의 동기가 상실되고 재물에 대한 탐욕이 없어지므로 공평하고 정의로운 정치를 할 수 있다고 믿은 것이지요. 또한 그는 인간은 동등하지 않고 타고난 능력에 차이가 있다고 했습니다. 뛰어난 능력을 지닌 자는 통치를 하고 그렇지 못한 자는 통치를 받아야 한다고 여긴 것입니다.

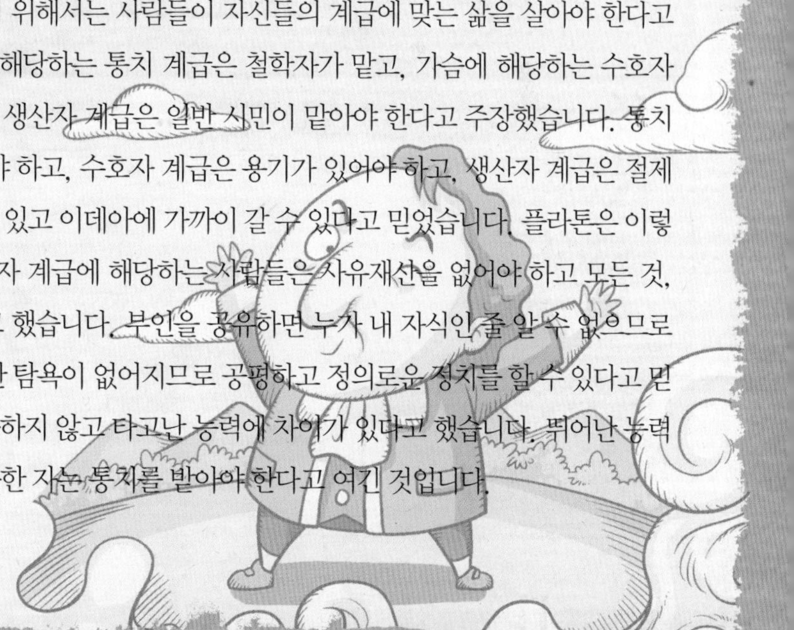

6장

각 정체의 부패와 보전, 그리고 정복 정책

민주정
귀족정
군주정

민주정체 원리의 부패

사람들이 평등의 정신을 잃을 때 민주정체의 원리는 부패하기 시작해.

민주정체의 원리
평등의 정신

그리고 사람들이 자신이 선출한 자와 평등해지려고 할 때에도 민주정체의 원리는 부패할 수 있어.

내가 시킨 걸 아직도 안 했어?
난 바빠요. 직접 하시든가. 다른 사람 시키세요.

국민이 지도자에게 위임한 권력에 순종하지 않고 모든 것을 스스로 하려고 하면 나라의 질서가 없어지기 마련이야.

어제 오라고 했는데 왜 이제서야 온 거야?
집안일을 먼저 하고 오느라 늦었어요~.

이럴 경우 덕성이 존재하기 어려워.

덕성

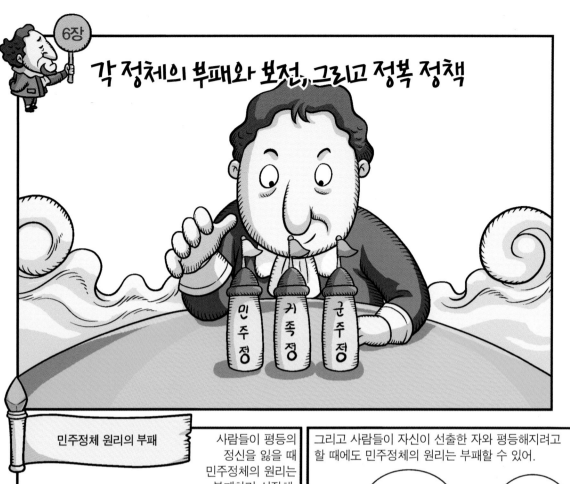

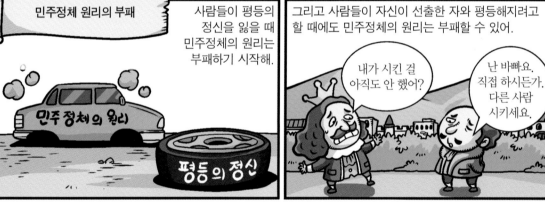

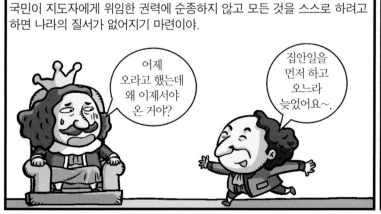

국민들이 집정관을 대신하려 들고,
비켜 보세요.
이런 놈은 사형입니다.
원로원의 심의를 인정하지 않고,
그래도 이미 징역 2년으로….
다시 판결하면 되잖아요.
원로원 의원들에게 경의를 나타내지도 않는다면
답답하시긴~.
사람들은 노인을 존경하지 않으며,
젊은이, 나 좀 도와 주게….
바빠요!
어버이도 존경하지 않을 거야.
아버지, 거기 문 좀 닫아 주세요.
남편도 존경받을 가치가 없어지고,
여보, 배고픈데 밥 좀 줘.
알아서 차려 드세요.
주인도 복종의 대상이 되지 못해.
일 안 할 거야?
해 떨어지면 할 테니 신경꺼요.
모든 사람이 지나치게 자유와 방종을 사랑하게 될 거야.
방종
자유
아이, 노예, 여자는 누구에게도 복종하지 않아.
복종
이렇게 되면 민주정체의 습속도, 질서에 대한 사랑도, 나아가 덕성도 사라지게 되지.
습속
사랑
덕성
민주정체

한편, 국민의 선택을 받은 지도자들이 자신들의 부패를 은닉하기 위해
어떻게든 숨겨야 해!
국민을 부패시키려고 한다면 결국 대다수의 국민이 불행에 빠지게 돼.
봐줄 테니 그냥 집으로 가~.
저희 집을 턴 도둑이란 말이에요.
지도자들은 자기들의 야심을 들키지 않도록 오직 국민만을 강조하지.
위대한 국민 여러분! 여러분은 정말 훌륭하고 위대합니다.
히히 바보들. 내 말에 열심히 속아 주다니.
그리고 국민의 탐욕을 끊임없이 부채질 해.
못 본 척할 테니 하던 거 계속 해~.
이렇게 되면 투표가 돈에 의해 이루어져도 놀라운 일이 되지 않아.
잘 부탁드립니다.
히히. 걱정 마세요. 기호 1번 맞죠?
투표함
지도자들은 국민의 것을 빼앗아 국민에게 주지.
돈이 다 떨어졌는데 어떻게 할까요?
답답하긴. 세금을 더 걷으면 되잖아.
더 많이 빼앗기 위해서는 국가를 전복시켜야 해.
그 결과 전제 군주의 모든 악덕을 갖춘 수많은 작은 전제 군주들이 나타나게 되지.
전제 군주
이윽고 자유는 커다란 부담이 되고 말 거야.
자유
그거 안 줘도 되는데….

단 한 사람의 압제자가 나타나
국민은 모든 것을 잃게 되는데 심지어 그 부패의 이익마저도 잃게 돼.
부패의이익
그러므로 민주정체는 두 가지 극단을 피해야 해.
첫째는 민주정체를 귀족정체 또는 1인 통치의 정체로 만드는 불평등의 정신이고,
1인통치
민 주 정 체
둘째는 지도자를 인정하지 않는 극단적인 평등의 정신이야.
오늘 청소는 왕 차례입니다.
참다운 평등의 정신은 극단적인 평등의 정신으로부터 멀리 떨어져 있어야 해.
쿵
극단적 평등
참다운 평등의 정신이란 모든 사람이 지배를 하거나,
평등의 정신
아무도 지배를 받지 않도록 하는 것이 아니라,
휭
평등의 정신
동등한 사람에게 복종하고 동등한 사람을 지배하는 정신이야.
이번엔 자네가 나한테 복종해.
그것은 지배자를 전혀 가지지 않기를 원하는 것이 아니라
동등한 사람을 지배자로 갖기 원하는 거야.

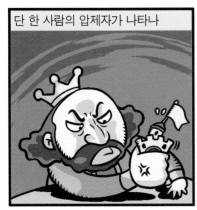

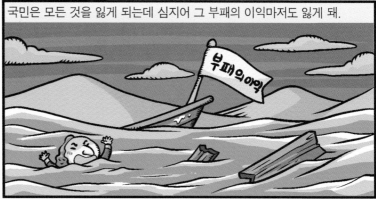

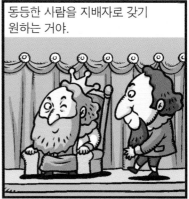

자연 상태에서 인간은 평등하게 태어나.
그러나 사회가 평등을 잃게 만들지.
사회
평등
인간은 법에 의해서만 다시 평등해질 수 있어.
법
평등
귀족정체 원리의 부패
귀족의 권력이 자의적으로 될 때 귀족정체의 부패가 시작돼.
지배층을 이루는 귀족 가문들이 법을 지키고 있다면 훌륭한 귀족정체를 유지할 수 있어.
군주 대부분이 법의 구속을 받기 때문이야.
법
만약 군주나 귀족들이 법을 지키지 않는다면 전제국가가 될 수 있어.
전제국가
법
귀족들은 공화국이라고 하겠지만
공화국
이런 게 공화국이지~.
일반 국민들에게는 전제국가가 되는 셈이지.
그게 어떻게 공화국입니까? 전제국가지….
이럴 경우 세상에서 가장 이질적인 두 개의 집단이 한 나라에서 함께 살게 되는 거야.

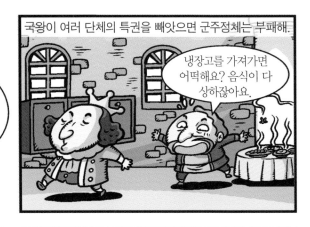

군주정체 원리의 부패
국민이 원로원, 집정관, 재판관으로부터 그 기능을 빼앗으면 민주정체가 부패하고 멸망하는 것과 같이,
국왕이 여러 단체의 특권을 빼앗으면 군주정체는 부패해.
냉장고를 가져가면 어떡해요? 음식이 다 상하잖아요.
전자는 만인에 의한 전제정체가 되고,
후자는 단 한 사람에 의한 전제정체가 되는 거야.
군주정체는 군주가 모든 것을 오직 자기 자신의 것으로 할 때,
오늘부로 너의 부인을 내가 데려가겠다.
곧 국가를 수도로,
수도를 자기 궁정으로,
궁정을 자기 한 몸을 위해 존재하게 할 때 부패해.
군주가 스스로의 권위와 신분, 그리고 국민에 대한 사랑을 가벼이 여길 때 군주정체는 부패하기 마련이야.
부패
군주가 공직자에게서 국민의 존경을 빼앗고, 공직자들을 권력의 도구로 삼을 때에도 군주정체는 부패해.
국민들에게 일을 더 시키고 세금을 더 내놓으라 하라~.

전제정체 원리의 부패
전제정체의 원리는 본성 자체가 부패되어 있어.
그러므로 전제정체는 항상 부패해 있기 마련이야.
전제정체
부패
다른 정체가 멸망하는 원인은 우연한 사건이 그 원리를 깨뜨리기 때문이지만,
끄윽! 이게 웬 날벼락이야~.
전제정체는 어떤 우연한 사건이 그 원리의 부패를 막아 주지 않는 한 그 내적인 악에 의해 스스로 부패하고 결국에는 망하게 돼.
그만 불어~. 그러다 터지겠어.
공화정체의 보전
공화정체
공화정체는 영토가 작아야 해.
그렇잖으면 존속하기가 매우 어려워.
우리도 땅을 좀 넓혀 볼까?
큰일 날 소리. 그러면 공화정체를 포기해야 해요.
공화국이 커지면 재산도 불어나고
그로 인해 귀족들의 절제가 거의 사라지게 돼.
절제
어, 근방에 있었는데 절제가 어디 있지?
라케다이몬*이 그토록 오래 지속한 것은 수많은 전쟁을 치른 뒤에도 항상 본래의 영토 그대로를 유지했기 때문이야.
라케다이몬

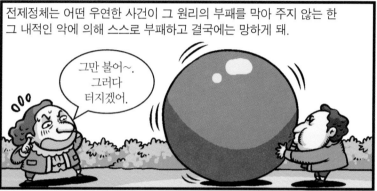

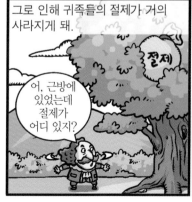

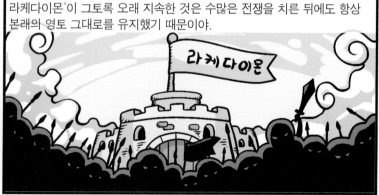

* 라케다이몬 : 스파르타와 그 국가 영역인 라코니아를 가리키는 스파르타 국가의 정식 명칭.

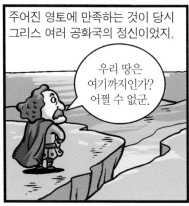

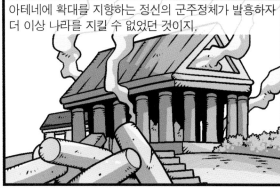

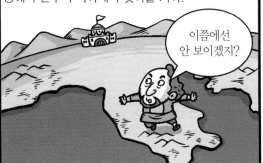

라케다이몬의 유일한 목표는 자유였으며,
자유
그 자유의 유일한 이익은 영광이었어.
자유
요약
주어진 영토에 만족하는 것이 당시 그리스 여러 공화국의 정신이었지.
우리 땅은 여기까지인가? 어쩔 수 없군.
반면 아테네는 야심을 품고 동맹의 수장이 되어 자유로운 시민을 이끌고자 했을 때 붕괴했어.
아테네에 확대를 지향하는 정신의 군주정체가 발흥하자 더 이상 나라를 지킬 수 없었던 것이지.
군주정체의 보전
군주정체
공화정체
군주정체는 국토의 넓이가 공화정체와 전제정체의 중간쯤이어야 해.
전제정체
국토가 작다면 공화정체 형태를 취하는 것이 좋아.
공화정체
국토가 매우 크다면 그 나라의 유력자들은 스스로 강해져 군주의 시야에서 벗어날 거야.
이쯤에선 안 보이겠지?
궁정 밖에 또 다른 궁정을 만들고 자기들만의 법과 풍습으로 살면서 군주의 간섭을 받지 않으려고 할 거야.
여긴 왕이 사는 세상과 달라! 우리 마음대로 살아도 돼!

예를 들어 사를마뉴*는 제국을 건설하자마자 분할해야만 했어.
* 샤를마뉴 (Charlemagne; 742.4.2~814.1.28) : 카롤링거 왕조의 제2대 프랑크 국왕(재위 768~814)로서 카를 대제 또는 카롤루스 대제라고도 한다.
아마 지방 총감들이 잘 복종하지 않았기 때문이었을 거야.
너희들 어제 오라고 했는데 왜 안 왔어?
바쁘다니까요.
나도 시간 없어요.
아니면 그들을 보다 더 잘 복종시키기 위해서 제국을 몇 개의 왕국으로 분할해야 할 필요가 있었을지도 모르고.
이 방법이 옳은 방법일까?
또한 알렉산드로스 대왕이 죽자 그의 제국은 해체되었어.
절대적인 정복자가 사라진 마당에 광대한 지역에 흩어져 있는 부하들이 다른 사람들에게 복종하기는 매우 어려웠기 때문이야.
이번엔 내가 왕이 되어 볼까?
무슨 소리! 다음은 내 차례야.
전제정체의 보전
대제국이 존립하려면 통치자에게 전제적 권위가 있어야 해.
결정의 신속성이 먼 거리를 보충하고,
지금 당장 서둘러서 군대를 후퇴하라 해라!
예!
공포가 멀리 떨어진 총독이나 장관의 게으름을 통제할 수 있기 때문이지.
왕께서 오늘 오라는데요?
쉴 시간을 안 주는구나….

그러므로 기존 정체의 원리를 유지하기 위해서는 나라의 크기를 그대로 유지하는 것이 좋아.
아… 아무도 건드리지 마. 이대로 내버려둬….
만약에 국가가 영토를 축소하거나 확장한다면 나라를 이루는 정체의 원리도 바꾸어야 해.
너무 넓은 집으로 이사 온 것 같아…. 가구들을 새로 사야겠다.
공화국의 안전 대비책
공화국은 나라의 규모가 작으면 외세에 의해 파괴되고
클 때는 내부적인 결함에 의해 멸망하기 쉬워.
너무 오래 해먹은 거 아냐?
이제 바꿀 때가 됐어.
몽테스키외는 공화정체의 대내적 장점과 군주정체의 대외적 세력을 함께 갖는 새로운 국가 조직을 고안해 내지 않는다면,
음. 저 두 가지 장점만 함께 갖는다면….
공화정체
군주정체
사람들은 영원히 1인 통치의 전제정체 밑에서 살아야 할지도 모른다고 말했어.
전제정체
몽테스키외가 말하는 새로운 국가 조직이란 연방적 공화정체야.
연방적 공화정체란 다수의 사회가 합쳐서 만든 하나의 새로운 사회입니다.
그리스로 하여금 오랫동안 영화를 누리게 한 것도 바로 연방적 공화정체였지요.
연방적 공화정체.

로마 제국의 번성이 절정에 달했을 때 도나우 강과 라인 강 건너편의 여러 나라들은 연합하여 로마 제국에 저항할 수 있었습니다.
유럽에서 네덜란드, 독일, 스위스 연방이 계속해서 공화국으로 간주되고 있는 것도 이들이 연방적 공화정체를 유지했기 때문이야.
네덜란드는 서로 다른 50여 개의 공화국으로 이루어져 있었지.
유럽의 연방적 공화정체는 외부 세력에 잘 저항했고, 내부가 부패하는 일 없이 그 권위를 유지할 수 있었어.
연방의 가맹국 중 어느 한 나라에 반란이 일어나면 다른 가맹국이 도와서 그 반란을 진압했어.
독일에 쿠데타가 일어났대!
그럼 빨리 도우러 가야겠지?
또한 어떤 가맹국에 악폐가 생기면 다른 건전한 가맹국에 의해 교정되기도 했어.
자꾸 이런 식으로 나라를 운영하니까 망해가는 거 아닙니까?
이러다간 나라가 망할 겁니다!
고치겠습니다.
가나안이 멸망한 까닭은 여러 개의 소군주국으로 나뉜 채 서로 동맹하지 않고 공동으로 방어하지 않았기 때문이야.
옆 동네에 적들이 쳐들어왔다는데 괜찮을까?
신경쓰지 마. 다른 동네 애들도 가만히 있잖아.

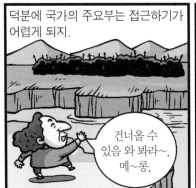

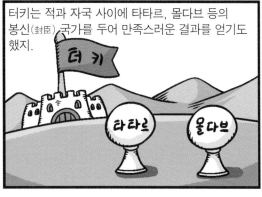

전제국가의 안전 대비책
전 제 국가
전제국가는 서로 떨어져 고립함으로써 위험에 대비할 수 있어.
전제국가는 의도적으로 국토의 일부를 희생하고 국경을 황폐하게 하여 무인지경으로 만들어.
중간에 물길을 만들었으니 건너오기가 힘들겠지?
덕분에 국가의 주요부는 접근하기가 어렵게 되지.
건너올 수 있음 와 봐라~. 메~롱.
또한 전제국가는 분리 정책에 의해 스스로를 보존하기도 해.
그대를 그 땅의 군주로 임명한다. 잘 지키도록 하라.
황공하옵니다.
수도로부터 멀리 떨어져 있는 지역은 신하에게 봉토(封土)로 주어 스스로 지키게 하는 방법이지요.
몽골, 페르시아, 중국의 황제들이 봉건제도로 나라를 다스렸어.
몽골
페르시아
중국
터키는 적과 자국 사이에 타타르, 몰다브 등의 봉신(封臣) 국가를 두어 만족스러운 결과를 얻기도 했지.
터 키
타타르
몰다브
군주정체의 안전 대비책
중간 정도 크기를 가진 군주국은 침략 당할 염려가 커.
군주국은 국경을 지킬 요새와 강력한 군대를 두어야 해.
군주국

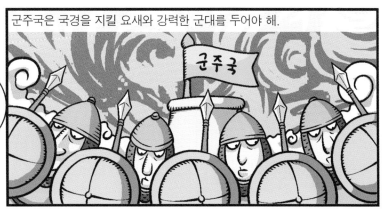

나라를 지키려면 침략하는 자들의 공격 속도와 방어하는 속도가 균형을 이룰 수 있을 정도의 국토가 필요해.
침략자들은 어디서든 나타날 수 있어.
따라서 수비하는 쪽도 어디서든 나타날 수 있어야 해.
이런 의미에서 프랑스와 에스파냐는 적당한 크기의 국토를 가지고 있다고 할 수 있어.
프랑스
에스파냐
프랑스와 에스파냐의 군은 서로 연락이 잘 되어 단번에 필요한 지점으로 동원될 수 있었기 때문이야.
언제 오셨습니까?
저희도 방금 도착했습니다.
이들 군대는 필요한 지점에 집결하여,
신속하게 한쪽 국경에서 다른 쪽 국경으로 이동할 수 있었어.
반면에 페르시아 제국은 그렇지 못했어.
페르시아

페르시아는 광대한 국토를 가지고 있어서 군대가 국토 곳곳에 분산되어 있었어. 공격받으면 군대를 모으는 데만 몇 달이 걸렸지.
우리 군대는 왜 안 오는 거야?
또한 국경에 있는 군대는 격파당하면 퇴각지가 멀어 뿔뿔이 분산되고 말았어.
때문에 승리한 적군은 아무런 저항도 받지 않고 진격을 거듭해 수도를 포위했지.
페르시아
그때가 되어서야 지방의 총독들은 원군을 보내라는 중앙의 명령을 받았어.
빨리 보내 주셔야 할 것 같습니다. 점령당하기 일보 직전입니다.
하지만 총독들은 명령을 듣지 않았지.
급합니다. 빨리 지원군을…
잠시만 생각 좀 해봅시다.
페르시아에서는 공포와 처벌 때문에 군주에게 충성을 바쳤는데,
한 번만 자비를 베풀어 주시옵소서.
나에게 용서란 없다.
군주가 약해지자 충성을 버린 거지.
난 안 가! 이거나 왕에게 전해주시오.
충성
전제정체에서 지방의 총독들은 자신의 개인적 이익에 따라 움직이므로 결국 수도가 점령되면 제국은 해체되고 말아.
항복…

전쟁과 정복권

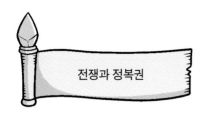

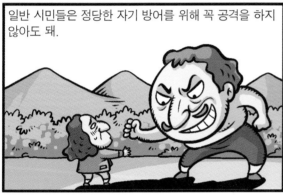

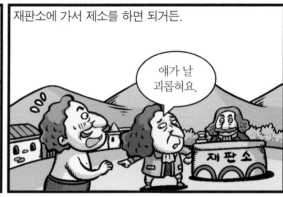

국가의 생명력은 인간의 생명과 같아.
인간은 자신을 지키기 위해서 사람을 죽일 권리가 있어.
이놈이 먼저 공격했다고…. 난 잘못 없어.
마찬가지로 국가도 자기를 보존하기 위해서 전쟁을 할 권리가 있어.
일반 시민들은 정당한 자기 방어를 위해 꼭 공격을 하지 않아도 돼.
재판소에 가서 제소를 하면 되거든.
얘가 날 괴롭혀요.
재판소
그러나 국가 차원에서는 자연적 방위를 위해 상대방을 공격해야 할 필요가 있어.
조국의 멸망을 저지하는 유일한 방법이 공격뿐이라고 인정할 경우지.
옆 나라에서 군대를 키우고 있습니다.
그렇다면 우리가 먼저 공격하는 게 좋겠군.
전쟁을 하다 보면 다른 나라를 정복하는 일이 생겨.
내 땅
그렇지만 함부로 다른 나라를 정복해서는 안 돼.
내 땅
왜?
정복이란 획득이지 파괴가 아니기 때문이야.
획득의 정신은 유지와 이용이야.
이걸 고쳐서 홍수에 대비해야겠다.

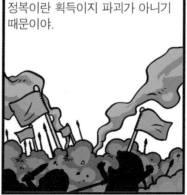

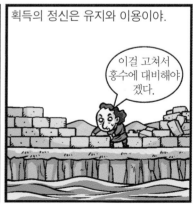

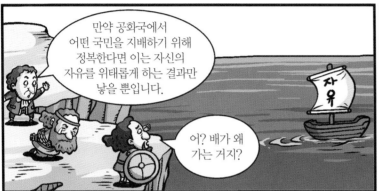

민주정체의 정복
몽테스키외는 공화국이 여러 도시를 정복하는 것은 정체의 본질에 어긋나는 일이며 주의를 해야 한다고 했어.
로마 인이 처음에 그랬던 것처럼 피정복 민족이 주권의 여러 특권을 향유할 수 있도록 해 주어야 합니다.
또한 정복 인원은 민주정체 확립에 필요한 인원으로 국한해야 합니다.
만약 공화국에서 어떤 국민을 지배하기 위해 정복한다면 이는 자신의 자유를 위태롭게 하는 결과만 낳을 뿐입니다.
자유
어? 배가 왜 가는 거지?
몽테스키외의 말이 옳아.
굿!
왜냐하면 정복을 한 공화국은 피정복 국가에 집정관을 파견해야 하고,
가서 나라를 잘 이끌도록 하라.
예…. 걱정하지 마옵소서~.
그 집정관에게 과도한 권력을 주어야 하는 일이 생겨.
그러면 피정복 국가는 민주정체가 될 수 없어.
피정복 국가의 국민들은 다른 나라의 통치를 받기 싫어하는 법이야.
우리나라를 돌려줘~.
따라서 통치를 하는 국가와 심각한 갈등을 하게 돼.
이런 벌레 같은 것들….
흥, 나쁜 침략자들!
통치를 하는 국가는 군주정체보다 더욱 가혹하게 피정복 국민들을 다루어.

결국 피정복 국민은 비참한 상태에 놓일 수밖에 없어.
그러므로 공화국이 다른 나라의 국민을 지배할 때에는 좋은 정법(政法)과 시민법을 주어서 국민들이 불편 없이 살 수 있도록 노력해야 해.
군주정체의 정복
군주정체가 이웃의 여러 주를 정복하여 그 경계를 넓힌 경우에는 피정복 지역을 온화하게 다루어야 해.
오랫동안 정복에 힘을 쏟아 온 군주정체에서는 자기 영토의 여러 주가 이미 심한 착취를 당했기 마련이야.
우리도 좀 신경써 주세요.
때때로 방대해진 수도가 모든 것을 삼켜 버리기 때문에 여러 주의 인구가 줄어들기도 해.
주민들은 옛 시절을 그리워하고 군주의 군대에 비협조적이 되지.
너희들 요즘 왜 말을 안들어?
우리가 한가한 줄 알아요?
옛날이 좋았지~.
국경 지역의 군대는 식량을 원활하게 보급받지 못할 수도 있어.
우리 밥을 언제 먹었지?
난 칼 들 힘도 없어.
나라를 지키라는 거야? 굶어 죽으라는 거야?
정복에 성공해도 소용이 없는 거지.
이런 어려움이 닥칠 줄이야.

몽테스키외는 수도에 사는 군주, 귀족들의 무서운 사치와 거기서 멀리 떨어져 있는 여러 주의 궁핍함이 지구의 구조와 닮았다고 했어.
지구의 중심에 불이 있고, 표면에는 녹음이 있지만 그 둘 사이에는 황량하고 차디찬 불모의 토양이 있습니다.
정복에 성공한 이들은 피정복 국가의 법을 그대로 인정해 주는 것이 중요해.
이번 1일에는 전부 쉬어야 합니다. 저희에겐 중요한 명절이거든요.
그래? 그럼 쉬어야지.
하지만 이것만으로 충분하다고 생각하면 큰 오산이야.
뭐가 또 있어?
피정복 국민들이 가지고 있는 특유의 습속을 인정해야 해.
우린 옛날부터 여자들은 얼굴을 가리고 다녀야 해요.
너무 답답해 보이는데….
왜냐하면 사람들은 법보다 습속을 더 잘 알고, 더 사랑하고, 더 잘 지키기 때문이야.
몽테스키외는 먼저 카를 12세를 예로 들었어.
자기 힘밖에 믿지 않았던 카를 12세는 오랜 전쟁에 의해서만 실현될 수 있는 원대한 야망을 가졌습니다.
카를 12세
하지만 그 야망이 결국에는 카를 12세를 망하게 만들었지요. 국가가 그의 야망을 지탱할 수 없었기 때문입니다.

카를 12세*가 정복하고자 했던 나라는 새로이 탄생하고 있는 제국이었습니다.
러시아 군대는 전쟁을 학교처럼 이용했습니다.
그들은 패배할 때마다 오히려 승리에 더 가까이 갔지요. 그들은 밖에서는 잃었지만 안으로는 싸우는 법을 배웠습니다.
카를 12세는 자신을 세계의 지배자로 생각했지만 그것은 착각이었습니다.
몽테스키외의 말처럼 카를 12세가 정복을 위해 황야를 헤매는 동안에,
그의 주요한 적인 러시아는 방비를 더욱 튼튼하게 했어.
그런 후에 카를 12세를 위협하며 발트 해에 진을 치고, 리보니아*를 점령하고 격파했지.
스웨덴은 마치 수원(水源)에서 물줄기가 끊긴 강처럼 되고 말았어.
카를 12세를 파멸시킨 것은 결코 폴타바 전투*가 아니었어.
카를 12세가 만약 거기서 패하지 않았다 해도 그는 분명히 다른 곳에서 패했을 거야.

* 카를 12세(Karl XII, 1682 ~ 1718)는 스웨덴의 국왕으로 1700년 러시아와 대북방 전쟁을 일으켜 나르바 전투에서 크게 이겼으나 1718년 노르웨이에서 전사했다.

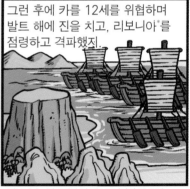

* 리보니아 : 라트비아 및 에스토니아의 옛 호칭.

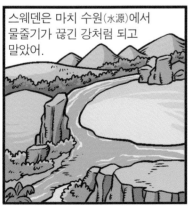

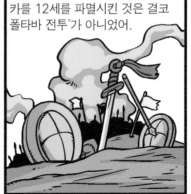

* 폴타바 전투 : 카를 12세가 우크라이나의 폴타바에서 러시아의 표트르 대제에게 대패한 전투. 이후 카를 12세는 터키로 망명하였다.

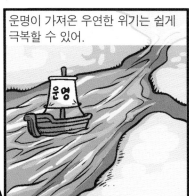

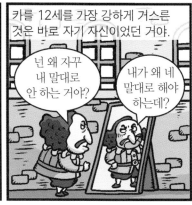

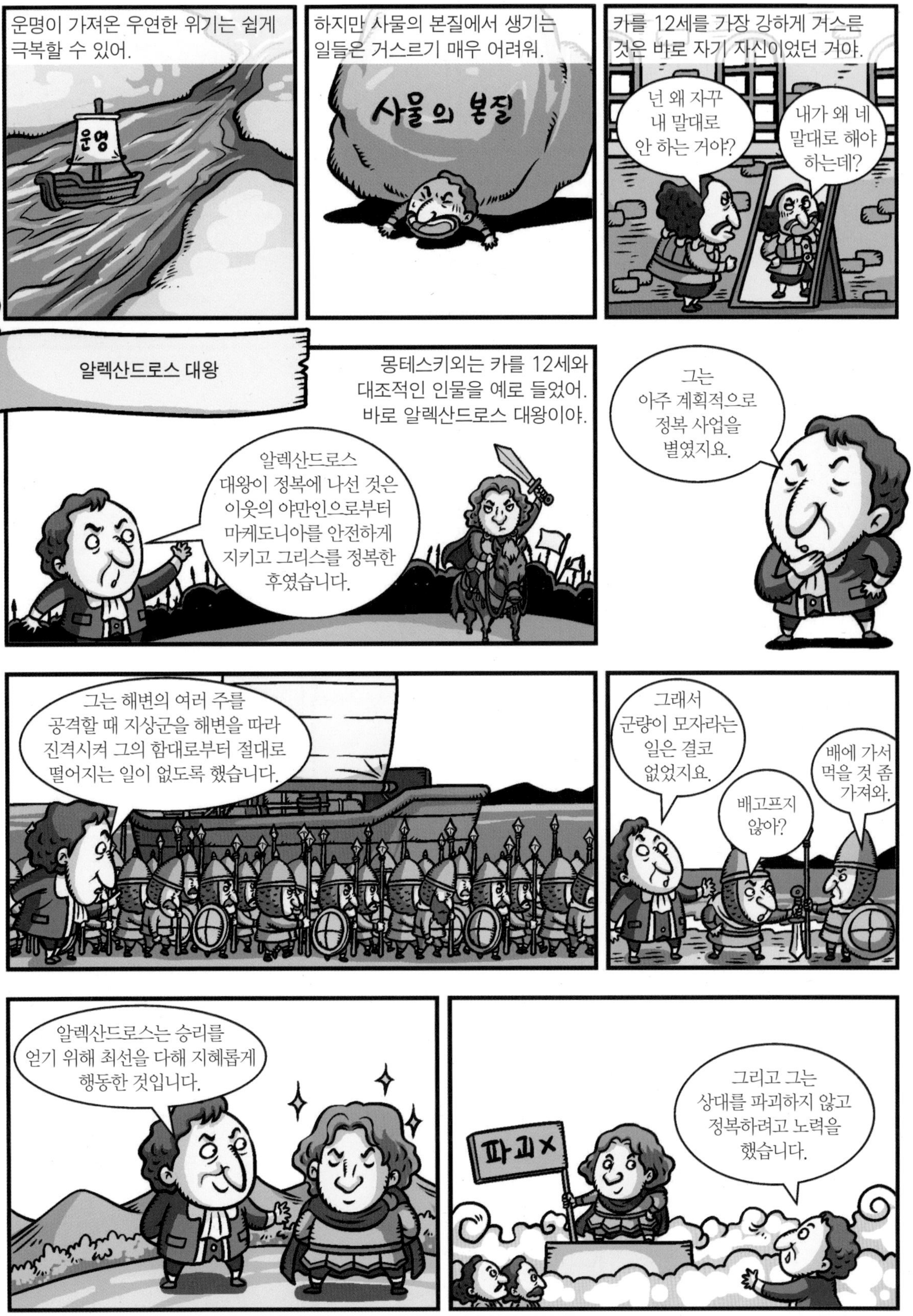
운명이 가져온 우연한 위기는 쉽게 극복할 수 있어.
운명
하지만 사물의 본질에서 생기는 일들은 거스르기 매우 어려워.
사물의 본질
카를 12세를 가장 강하게 거스른 것은 바로 자기 자신이었던 거야.
넌 왜 자꾸 내 말대로 안 하는 거야?
내가 왜 네 말대로 해야 하는데?
알렉산드로스 대왕
몽테스키외는 카를 12세와 대조적인 인물을 예로 들었어. 바로 알렉산드로스 대왕이야.
알렉산드로스 대왕이 정복에 나선 것은 이웃의 야만인으로부터 마케도니아를 안전하게 지키고 그리스를 정복한 후였습니다.
그는 아주 계획적으로 정복 사업을 벌였지요.
그는 해변의 여러 주를 공격할 때 지상군을 해변을 따라 진격시켜 그의 함대로부터 절대로 떨어지는 일이 없도록 했습니다.
그래서 군량이 모자라는 일은 결코 없었지요.
배고프지 않아?
배에 가서 먹을 것 좀 가져와.
알렉산드로스는 승리를 얻기 위해 최선을 다해 지혜롭게 행동한 것입니다.
파괴×
그리고 그는 상대를 파괴하지 않고 정복하려고 노력을 했습니다.

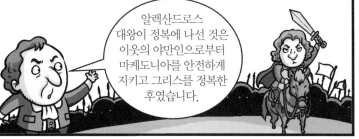

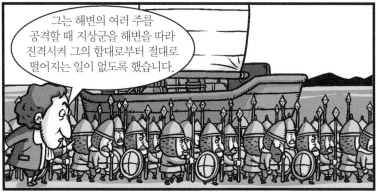

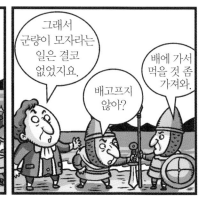

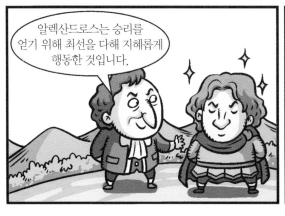

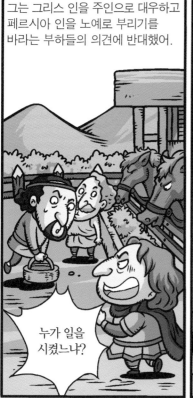

그 예로 알렉산드로스가 테베를 점령할 때, 그는 먼저 테베 인들이 강화를 요청하러 오기를 기다렸어.
왜 안 들어 가십니까? 지금 들어가야 합니다.
조금만 더 기다려 보자.
하지만 불행하게도 테베 인들 스스로가 파멸을 재촉했고, 결국 알렉산드로스는 테베를 파괴할 수밖에 없었지.
또한 알렉산드로스는 전쟁에 패해 도망치는 페르시아의 왕 다리우스를 추격하지 않고
점령지를 굳히고 정돈하는 일에만 주력했어.
그는 그리스 인을 주인으로 대우하고 페르시아 인을 노예로 부리기를 바라는 부하들의 의견에 반대했어.
누가 일을 시켰느냐?
대신 두 국민을 결합하여 정복 민족과 피정복 민족의 차별을 없애는 데 크게 신경을 썼지.
정복을 한 후 그는 정복하는 데 필요했던 모든 편견을 버렸어.
편견
휴지통

알렉산드로스는 페르시아 인에게 그리스의 습속을 따르게 했는데,
자신 스스로는 페르시아 인의 습속을 따랐지. 페르시아 인의 마음을 얻기 위해 본을 보인 거야.
다리우스의 가족에게 큰 경의를 보인 것도 마찬가지 이유였어.
알렉산드로스는 정복을 굳건하게 하는 데 두 민족 간의 결혼에 의한 결합보다 더 좋은 방법은 없다고 생각했어.
알렉산드로스는 정복한 국민 가운데서 몇 사람을 아내로 맞아들였으며
자기 부하들도 그렇게 하기를 바랐어.
자네는 장가 안 가나?
네?
실제로 그의 부하들 중 많은 이들이 페르시아 여인과 결혼을 했어.
알렉산드로스는 페르시아 안에 그리스 식민지를 만들기 위해 새로운 도시들을 건설했어.
마케도니아
흑해
카스피해
리디아
프리지아
아르메니아
지중해
시리아
메디아
파르티아
페르시아
박트리아
간다라
이집트
카르미나
미우리아 왕조

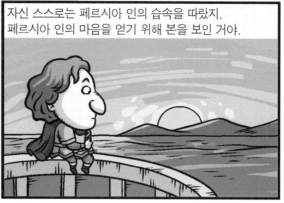

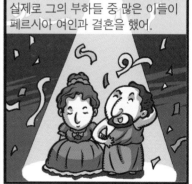

그리고 제국의 모든 부분을
완벽하게 결합시킨 결과
그가 죽고 난 뒤 페르시아의 어떤 주도 반란을 일으키지 않았지.
알렉산드로스는 정복당한 민족의
풍습을 그대로 두었을 뿐만 아니라
이 민족의
풍습을 그대로
보존하도록 하라.
풍습
나아가 그들의 시민법과,
시민법
본래의 총독까지도 그대로 두었어.
지금까지 잘했으니
그대로 총독직을
맡아 주게.
감사히 뜻을
받들겠습니다.
또한 군대의 수뇌에는
마케도니아 인을 임명했지만
정부의 높은 자리에는
페르시아 인을 앉혔어.
페르시아인
알렉산드로스는 페르시아의
옛 전통과 여러 건축물들을 그대로
두었어.
그는 그에게 복종한 모든 국민의 제단에 제물을 바치는
일에도 기꺼이 함께 했어.
나도 너희와
함께 하겠노라.
감사합니다.
그의 목적은 각 나라와 민족의 진정한 군주가 되고,
최고 시민이 되려는 것이었기 때문이야.

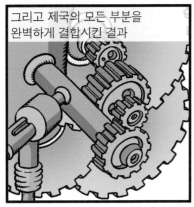

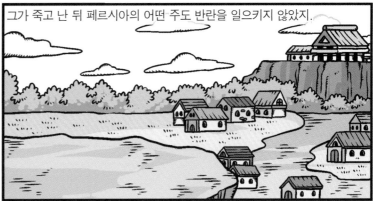

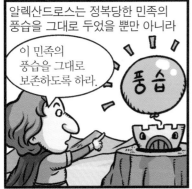

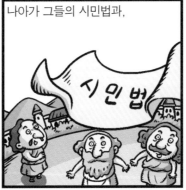

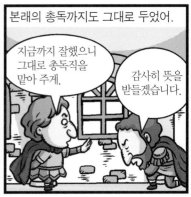

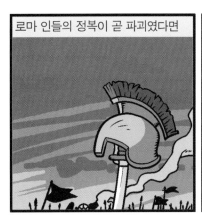

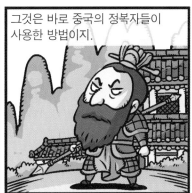

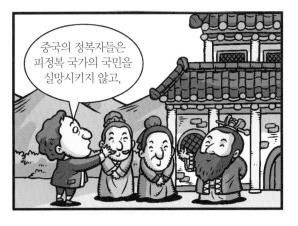

로마 인들의 정복이 곧 파괴였다면
알렉산드로스는 보존하기 위해서 정복하려 했던 거야.
알렉산드로스가 자신이 정복한 모든 나라에서 가장 먼저 생각하고 우선적으로 계획한 것은
우선적
그 나라를 번영하게 하고 힘을 키우는 일이었어.
정복을 보전하는 새로운 방법
몽테스키외는 군주가 대국을 정복할 때 전제주의를 완화하고 정복을 보전하기에 좋은 방법을 소개했어.
흠… 흠….
그것은 바로 중국의 정복자들이 사용한 방법이지.
중국의 정복자들은 피정복 국가의 국민을 실망시키지 않고,
정복자들이 거만해져서 전제정체가 되는 것을 막기 위해 애를 썼습니다.

대표적인 예가 한때 중국을 지배했던 타타르 왕조입니다.
* 타타르 왕조 : 여진 왕조로 만주족의 전신이다. 서양 사람들은 이들을 타타르라고 여겼다.
타타르 왕조는 중국인과 타타르 인이 서로 발전적으로 지낼 수 있도록 각 주의 군대를 중국인 반, 타타르 인 반으로 구성했습니다.
재판소도 역시 반은 중국인, 반은 타타르 인으로 구성했지요. 이러한 일들은 여러 가지로 좋은 결과를 낳았습니다.
중국
타타르
재판소
두 국민은 서로 견제하고, 또한 다 같이 문무(文武)의 권한을 보유하고 있으므로 한쪽이 다른 한쪽에 의해 망하는 일이 일어나지 않았습니다.
중국인
타타르인
정복하는 전제국가
대대적인 정복 사업을 하는 데에는 전제정체가 유리한 점이 많아.
하지만 군대가 각 주에 분산되어 있기 때문에 군사력이 충분하지 않을 수 있어.
제국의 어디든 언제든지 즉각적으로 달려가서 진압할 수 있는 강력한 군대가 있어야 해.
그래서 전제정체의 군주에게는 항상 특별한 심복 군대가 있는 거야. 이들은 다른 나라의 군대를 제압할 뿐만 아니라
제국 내에서 군주가 부득이 어느 정도의 권력을 주어야 하는 사람들이 군주를 두렵게 여기도록 할 수 있어.
몽골이나 터키, 일본과 같은 전제정체의 군주는 특별히 고용한 친위대가 있지요.

우리는 앞에서 전제군주가 정복한 국가를 봉신으로 다스리게 한다고 배웠어.
역사가들은 정복당한 군주에게 왕관을 되돌려준 정복자들의 넓은 아량을 칭찬해.
그래~. 나라를 잘 다스리도록 하라~.
감사합니다. 최선을 다해 받들겠습니다.
정복자가 피정복 국가를 자기 것으로 소유한다면 정복자가 파견하는 총독은 해당 국가를 통제하기 어려울 거야.
애들이 말을 안 들어~.
우리가 왜 당신 말을 들어야 하는데?
정복자 자신도 총독들을 쉽게 견제하기 어려워.
뭔가 꿍꿍이가 있는 것 같은데….
정복자는 새로운 영토를 지키기 위해 하는 수 없이 기존의 영토에서 군대를 철수시켜 새 영토에 배치해야 할 거야.
군사가 부족합니다. 더 보내 주셔야 겠습니다.
왜 부족해?
이 일은 정복자와 피정복 국가 모두에게 불행이 되기 마련이야.
급하다니까요! 빨리 군사를 보내 주세요.
여기도 부족하단 말이야.
반대로 정복자가 그 피정복국의 군주에게 왕위를 돌려준다면
다행이다. 전쟁은 패했지만 왕위는 지켰어.
그는 필요한 동맹국 하나를 얻게 될 것이고,
언젠가는 큰 힘이 될 거야.
나에게 군사를 내어 줄 수 있나?
당연하지요. 은혜를 갚겠습니다.
로마는 이 일을 잘해서 거대한 제국을 유지할 수 있었던 거야.

알렉산드로스 대왕과 그의 제국

정복자 알렉산드로스

알렉산드로스

플루타르코스는 알렉산드로스를 두고 '그는 배움을 향한 격렬한 갈망과 열정을 가졌으며 이것은 시간이 흐를수록 더욱 커졌다.'고 하여 배움에 욕심이 많은 인물로 묘사했습니다. 또한 알렉산드로스의 어머니가 알렉산드로스를 아킬레스의 후손이라고 말했을 정도로 그는 뛰어난 육체를 가졌습니다. 그는 모든 스포츠에 뛰어났으며 장난삼아 사자를 사냥할 정도였습니다. 다른 모든 청년들이 거대한 말 부케팔로스를 길들이지 못했을 때 그는 말을 길들여 평생 애마로 삼았습니다.

알렉산드로스는 스무 살에 왕이 되어 서른세 살의 젊은 나이에 세상을 떠날 때까지 수많은 전쟁을 치렀습니다. 알렉산드로스는 부케팔로스를 타고 3,000명의 기마병과 1만 8,000명의 보병을 지휘하여 밀레토스와 사르데이스를 점령을 시작으로 소아시아와 페니키아를 휩쓸었습니다. 그 후 알렉산드로스는 이집트를 점령하여 해방자로 환영받으며 멤피스까지 진군했고 그곳에 그는 알렉산드리아라는 새 도시를 세웠습니다.

이수스 전투를 묘사한 모자이크

기원전 331년에 알렉산드로스는 다리우스가 다스리던 페르시아 제국의 심장부를 침공하여 다리우스 3세를 패배시키고 페르시아 제국을 무너뜨렸습니다. 그가 고작 3만 명의 병사로 이수스 강가에서 페르시아 60만 대군과 대적

하여 페르시아 대군을 혼란에 빠뜨렸고 다리우스 3세가 도망치게 한 것은 전쟁사에서 유명한 이야기가 되었습니다.

그러나 알렉산드로스는 승리감과 황금에 도취하지 않고 군대를 이끌고 히말라야를 넘어 인도로 갔습니다. 그는 인더스 강을 가로질러 포루스 왕을 무릎 꿇린 뒤 계속 전진하면서 자신의 이름을 딴 새 도시들을 세웠습니다.

기원전 323년 오랜 전쟁에 지친 부하들에 못 이겨 귀국하는 길에 그는 열병에 걸려 세상을 떠났습니다. 누구에게 제국을 넘기겠는가라는 부하들의 질문에 그는 '가장 강한 사람에게!'라는 짤막한 답을 하고 숨을 멈추었다고 합니다.

헬레니즘(Hellenism) 문명

헬레니즘 문명은 그리스 고유의 문화와 동양의 문화가 융합하여 만들어진 문명으로 세계주의를 지향합니다. 헬레니즘 문명은 헤브라이즘과 함께 유럽 문화의 큰 기둥이었습니다.

헬레니즘이라는 용어는 역사학자 요한 구스타프 드로이젠이 처음 사용했습니다. 그는 1833년에 자신이 출간한 《알렉산드로스 대왕의 역사》에서 고대 그리스 문화를 동경하던 알렉산드로스가 정복 사업과 더불어 광범위한 지역에 그리스 문화를 전파하고 그리스 문화와 동양 문화를 융합한 세계화 된 문화를 일컬어 헬레니즘이라고 불렀습니다.

헬레니즘의 영향을 받은 간다라 불상. 붓다의 얼굴이 서양인을 닮았다.

알렉산드로스는 이 헬레니즘 문명 형성에 가장 결정적인 역할을 한 인물입니다. 알렉산드로스가 죽은 후에 그의 부하 장군에 의해 이집트가 그의 제국으로 합병되던 3세기 동안 헬레니즘은 광범위한 지역으로 확대되었습니다. 헬레니즘 문명은 에게 해 주변의 지중해 지방을 포함해서 서쪽은 영국, 동쪽은 인도의 펀자브 지방까지 뻗어 나갔답니다.

7장
정치적 자유를 보장해 주는 법
법
정치적 자유
정치란 무엇일까?
정치
정치란 사람들 사이의 의견 차이나 이해관계를 둘러싼 다툼을 해결하는 과정이라고 배웠을 거야.
생각이 다른 수많은 사람들이 사회를 이루고 살면 많은 문제가 생길 거야.
이런 문제를 잘 해결할 때 우리 사회는 발전하고 사람들은 행복할 수 있겠지?

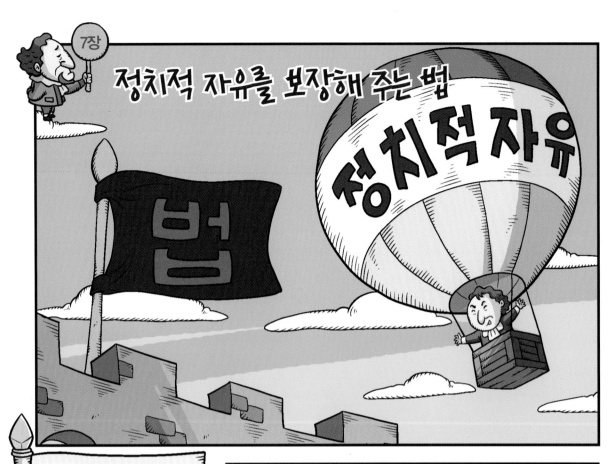

인간의 삶에서 정치는 아주 중요해.
정치
인간을 정치적인 동물이라고도 하잖아?
정치
정치에는 자유가 필수적이야.
정치
자유
자유
자유가 없는 정치란 존재할 수 없거든.
정치
만약 힘 있는 사람들의 뜻대로만 이루어진다면 정치라고 할 수 없겠지?
정치
그래서 몽테스키외는 정치적 자유에 대해서 많은 고민을 했어.
정치적 자유
몽테스키외는 국가 조직과의 관계에서 정치적 자유와 시민과의 관계에서 정치적 자유를 지키기 위해서 어떻게 해야 하는지를 《법의 정신》에서 상세하게 설명했어.
정치적자유
그러면 몽테스키외가 어떤 말을 했는지 들어볼까?
국가 조직과의 관계에서 정치적 자유를 보장해 주는 법
몽테스키외는 자유라는 단어는 다양한 의미를 지니고 있다고 했어.
자유
자유
자유
자유
사람들이 생각하는 자유의 의미는 제 각각이야.
자유
자유
자유
저기 세모난 자유가 진짜 자유야.

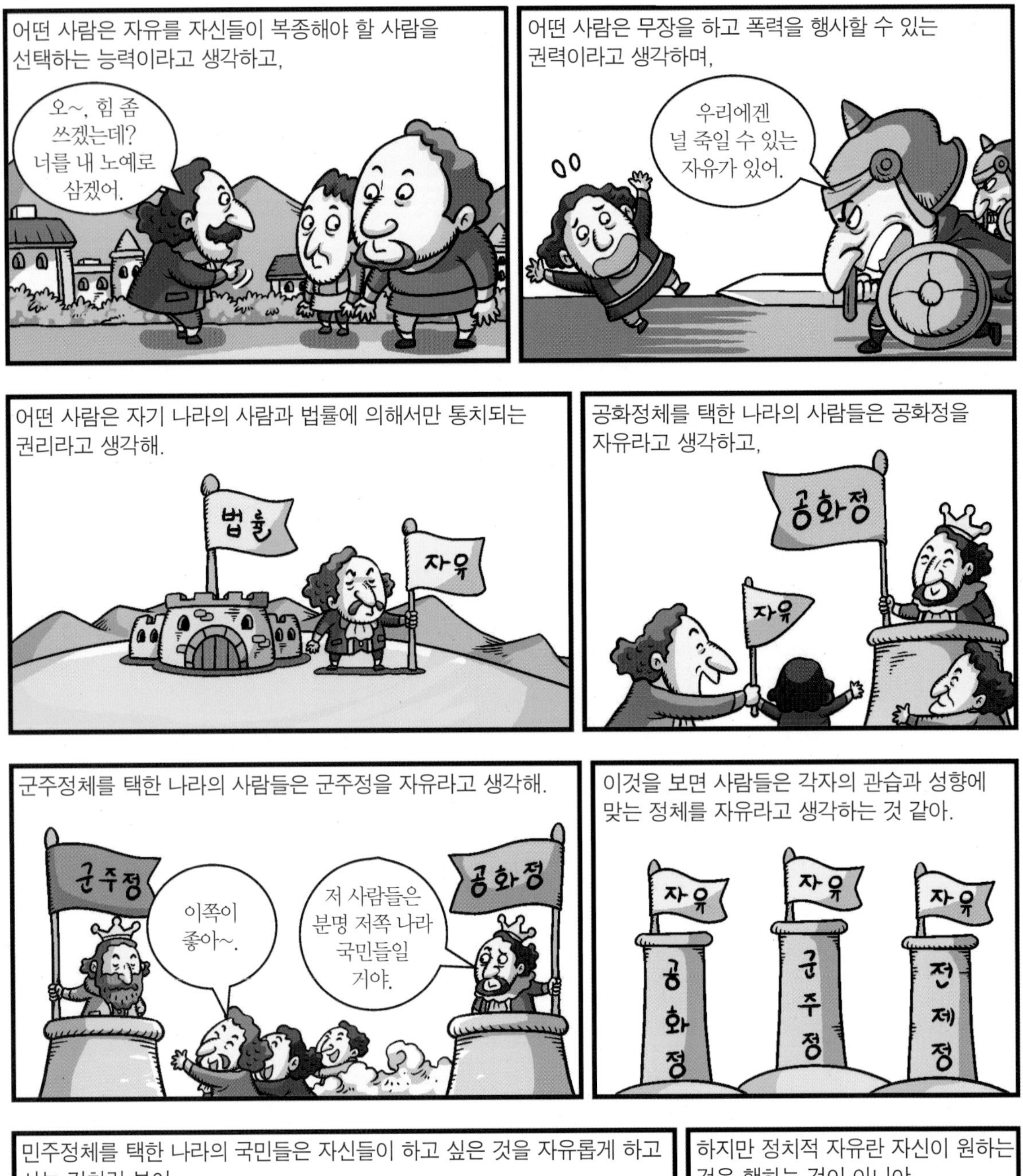

어떤 사람은 자유를 자신들이 복종해야 할 사람을 선택하는 능력이라고 생각하고,
오~, 힘 좀 쓰겠는데? 너를 내 노예로 삼겠어.
어떤 사람은 무장을 하고 폭력을 행사할 수 있는 권력이라고 생각하며,
우리에겐 널 죽일 수 있는 자유가 있어.
어떤 사람은 자기 나라의 사람과 법률에 의해서만 통치되는 권리라고 생각해.
법률
자유
공화정체를 택한 나라의 사람들은 공화정을 자유라고 생각하고,
공화정
자유
군주정체를 택한 나라의 사람들은 군주정을 자유라고 생각해.
군주정
이쪽이 좋아~.
저 사람들은 분명 저쪽 나라 국민들일 거야.
공화정
이것을 보면 사람들은 각자의 관습과 성향에 맞는 정체를 자유라고 생각하는 것 같아.
자유
공화정
자유
군주정
자유
전제정
민주정체를 택한 나라의 국민들은 자신들이 하고 싶은 것을 자유롭게 하고 사는 것처럼 보여.
민주정
하지만 정치적 자유란 자신이 원하는 것을 행하는 것이 아니야.
정치적 자유

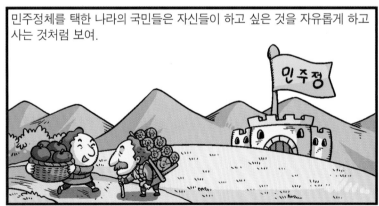

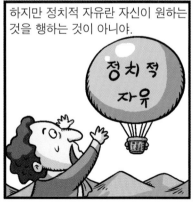

국가, 즉 법이 있는 사회에서의 자유란, 원하는 것을 행할 수 있고 원하지 않는 것을 강제로 하지 않는 것입니다.
법
자유란 법이 허용하는 모든 일을 할 수 있는 권리입니다.
법
만약 어떤 시민이 법이 금하는 바를 행할 수 있다면,
그게 뭔가?
옆집에서 슬쩍해 왔지.
다른 시민도 역시 그 가능성을 가지게 될 것입니다.
하하~. 나도 훔치러 가야지!
따라서 그는 자유를 상실하게 될 겁니다.
각 나라는 고유의 목적을 가지고 있어.
목적
목적
목적
로마의 목적은 영토의 확장이었고,
로마
스파르타의 목적은 전쟁이었지.
유대의 목적은 종교였고,
중국의 목적은 공공의 안녕이었어.

전제국가의 목적은 군주의 쾌락이고,
군주국의 목적은 영광이지.
한편, 국가 조직의 정치적 자유를 목적으로 삼는 국민들도 있어.
정치적 자유
지금부터 그 국민들이 정치적 자유를 어떤 원리에 기초해야 하는지 몽테스키외의 생각을 알아보자.
국가에는 입법권, 집행권, 재판권의 세 가지 권력이 있습니다.
국가
입법권
집행권
재판권
몽테스키외의 입법권이란 군주나 집정관이 법률을 제정하고 정해진 법률을 수정하거나 폐지하는 권력을 말해.
집행권은 대사를 교환하는 등 외교를 하고,
우리 쪽 대사는 잘 있겠죠?
물론 잘 있습니다. 우리 대사도 잘 있죠?
국민의 안전을 보장하고,
가만두지 않겠어.
이러시면 곤란해요. 우리나라 사람 건드리지 마세요.
침략을 예방하거나 선전포고를 하는 권력을 말해.
우리 왕께서 더는 용서할 수 없다 하셨소!
요새 말로 하면 행정권이라고 할 수 있을 거야.
집행권
행정권
그리고 재판권은 죄를 처벌하고, 개인의 쟁송을 심판하는 권력을 말해.
요새 말로 하면 사법권이라고 할 수 있을 거야.
재판권
사법권

시민의 정치적 자유는 각자가 자신의 안전에 대해서 정신적으로 안정된 상태에 있는 것을 말해.
정치적 자유는 그 자유를 갖기 위해서 다른 시민을 두려워하지 않는 정체에 있는 것을 말하지.
자유
그러므로 민주정체에 있는 사람들은 정치적 자유를 가지고 있다고 할 수 있을 거야.
자유
민주정체
시민의 정치적 자유를 보장하기 위해서 입법권, 집행권, 재판권은 어떻게 운영해야 할까?
입법권
집행권
재판권
몽테스키외는 정치적 자유를 얻기 위해서는 한 사람에게 입법권과 집행권을 동시에 주어서는 안 된다고 주장해.
입법권
집행권
한 사람에게 입법권과 집행권이 집중되면 그는 폭압적인 법률을 만들고 그것을 자기 마음대로 집행할 가능성이 높습니다.
또한 몽테스키외는 재판권이 입법권과 집행권으로부터 분리되어 있지 않을 때에도 정치적 자유가 존재하기 어렵다고 주장해.
입법권
집행권
재판권
정치적 자유
만약 재판권이 입법권과 결합된다면 권력은 자의적이 되기 쉽습니다. 시민의 생명과 자유를 마음대로 다루게 될 겁니다.
몽테스키외의 주장에 일리가 있어.
강력히 주장합니다.
왜냐하면 재판관이 곧 입법자이기 때문이야.

만약 재판권이 집행권과 결합되어 있다면 재판권은 압제자의 힘을 갖게 될 거야.
결론적으로 동일한 인간이나 동일한 단체가 세 가지 권력,
즉 법률을 제정하는 입법권,
너무 많은 거 아냐? 이건 빼면 안 될까?
아냐. 그건 꼭 넣어야 해!
공공의 결정을 실행하는 집행권,
쾅
죄나 개인의 쟁송을 심판하는 재판권을 행사한다면
그 사회는 정치적 자유를 잃고 말 거야.
그러므로 입법권, 집행권, 재판권 즉 삼권은 분리되어야 합니다.
입법권
집행권
재판권
재판권은 상설로 운영되는 원로원에 부여해서는 안 돼.
이번엔 재판 좀 해 주세요.
내가?
해마다 일정한 시기에 법률이 정하는 바에 따라 법정을 구성해야 하고,
법
그 법정에 의해 선출된 사람들이 재판권을 행사해야 해.
또한 판결은 명문화되어 언제나 같아야 해.
판결이 재판하는 사람에 따라 달라진다면 법의 존엄성은 유지될 수 없을 거야.
법
저기에 적힌 건 믿지 않아.

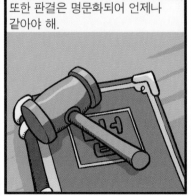

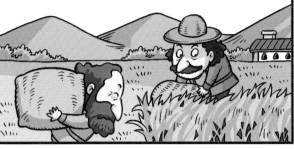

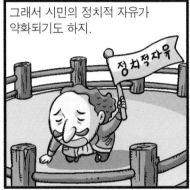

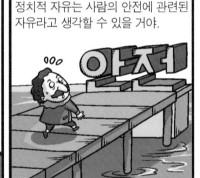

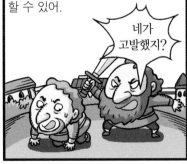

시민과의 관계에서 정치적 자유를 보장해 주는 법
국가 조직과의 관계에서 자유를 형성하는 것은 법의 규정에 의해 가능해.
법의규정
하지만 시민과의 관계에서는 습속이나 생활양식, 그리고 관례 등이 정치적 자유에 영향을 미쳐. 이럴 때는 특별한 시민법에 의해 정치적 자유를 보장해야 해.
대부분의 국가에서는 헌법이 보장하는 것과는 달리 자유가 구속되거나 방해를 받아.
자유
그래서 시민의 정치적 자유가 약화되기도 하지.
정치적자유
그러므로 각 국가는 자유의 원리가 방해받는 것을 막는 법의 제정을 논의해야 해.
철학적 자유가 사람의 의지와 관련된 자유라고 한다면
의지
정치적 자유는 사람의 안전에 관련된 자유라고 생각할 수 있을 거야.
안전
공적 또는 사적인 고발은 사람의 안전을 크게 위협하는 요소라고 할 수 있어.
네가 고발했지?
그러므로 시민의 정치적 자유를 보장하기 위해 건강한 형법이 필요해.
형법
형법은 하루아침에 완성될 수 있는 것이 아니야.

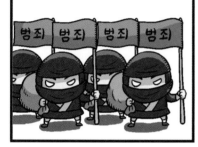

사람들이 가장 자유를 추구했던 나라에서도 항상 자유가 보장되는 것은 아니야.
거기서 물고기 잡는 건 금지되어 있습니다!
시민의 정치적 자유는 형벌의 성질과 범죄에 대한 형벌의 정도에 의해 유지된다고 할 수 있어.
네가 지은 죄가 죽을 죄인 줄은 알지?
몽테스키외는 범죄에는 네 가지 종류가 있고,
범죄
범죄
범죄
범죄
형법이 이들 범죄의 본질과 관계하여 형벌을 끌어낼 수 있어야 정치적 자유가 어느 정도 보장된다고 주장했어.
형벌
종교에 관한 범죄, 습속에 관한 범죄, 평온에 관한 범죄, 시민의 안전에 관한 범죄가 있습니다.
먼저 종교에 관한 범죄입니다. 예를 들어서 신을 모독하는 일에 관해서는 공공연한 범죄 행위가 없는 경우에는 범죄 사실 또한 없다고 봐야 할 겁니다.
난 죄 지은 적 없어.
거짓말하지 마. 신께서 억울하다고 나에게 말했다.
신을 모독하는 일은 인간과 신 사이에서 일어난 일입니다. 신은 복수의 수단과 때를 알고 있겠지요.
그런데 만약에 법관이 신을 모독한 사람을 처벌하기 위해 마음속에서 생각한 일까지 밝혀내려고 한다면 신을 모독한 행위와 전혀 관계없는 불필요한 일까지 수사하게 될 겁니다.
너, 지금도 신을 욕하고 있는 거지?
그런 적 없어요.

두 번째는 습속에 대한 범죄입니다. 이것은 육체의 쾌락을 누리는 방법에 대해 규율하는 인간의 습속을 무시한 범죄라고 할 수 있습니다.
앞으로는 육식을 금한다. 쌀만 먹도록 해!
이 경우에도 죄에 대한 형벌은 습속과 관련한 것으로 하는 것이 좋습니다.
습속
예를 들어 사회가 습속의 순결에 주고 있는 이익을 박탈하거나, 공공연한 모욕을 주는 정도의 형벌이면 됩니다.
넌 개와 다를 게 없다. 짖어라!
좀 더 심한 경우에는 도시와 사회로부터 추방하면 됩니다.
다시는 오지 마!
사실 이런 범죄는 악의적인 범죄라기보다는 자기를 잊거나 가볍게 여기는 데 기인하기 때문이지요.
세 번째는 시민의 평온을 해치는 범죄입니다. 이들 범죄에 대해서는 투옥을 하거나, 도시에서 추방을 하거나, 징계를 가하는 등의 형벌을 내리면 됩니다.
가진 거 다 내놔!
너 감옥 가고 싶어?
민심의 불안을 가라앉히고 평온한 질서로 돌아가게 하는 형벌이면 된다는 말이지요.
네 번째는 시민의 안전을 해치는 범죄의 경우입니다. 이 경우에는 좀 더 강력한 형벌로 처벌을 해야 합니다.

한편 마술이나 이단을 재판할 때는 매우 신중해야 해.
만약에 입법자가 이들을 재판하는 법을 잘 만들지 않으면 시민의 자유를 침해하는 무한한 폭정의 원천이 될 수 있어.
나를 믿는 자는 영생을 얻으리라~.
이들 범죄에 대한 처벌은 직접적으로 시민의 행동에 영향을 끼치는 것이 아니라
좋은 아침입니다.
네~. 밥은 먹고 나왔죠?
시민들이 품고 있는 관념에 영향을 주기 때문이야.
관념
마술이나 이단에 대한 재판은 시민의 무지함에 비례하여 아주 위험한 일이 될 수 있어.
재판소
당신이 뭔데 재판을 해?
놔주지 않으면 가만두지 않겠어!
옛날 콘스탄티노플에서 어떤 사제가 한 사나이의 마술로 인하여 기적이 소멸되었다는 계시를 받았다고 주장했던 일이 있어.
신이시여. 기적을 보여 주시옵소서.
이 사람의 주장을 믿은 시민들은 마술을 행한 사나이와 그의 아들을 사형시켰다고 해.
마술을 한 번 했다고 해서 당사자와 아들의 목숨까지 빼앗은 시민들의 판단은 결코 정당한 일이 아니었어.
다시 살려내!
험~ 험~. 이미 죽은 걸 어찌 살려?
정말 미안하긴 하다.

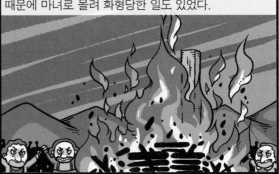

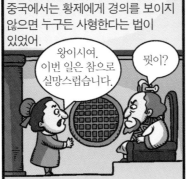

실제로 중세 유럽에서는 숱한 여성들을 마녀로 몰아 화형에 처했던 적이 있었지.
심지어 주근깨가 있다거나, 얼굴이 못생겼다는 이유 때문에 마녀로 몰려 화형당한 일도 있었다.
그 배후에는 이들을 이단으로 몬 종교 지도자들의 어리석은 재판이 있었어.
중국에서는 황제에게 경의를 보이지 않으면 누구든 사형한다는 법이 있었어.
왕이시여. 이번 일은 참으로 실망스럽습니다.
뭐이?
그런데 그 법은 경의를 보이지 않는 것이 무엇을 의미하는지 구체적으로 명시하지 않았어.
법
황제에게 경의를 표하라…
시키면 시키는 대로 해.
때문에 포악한 황제는 어떤 일이든 핑계 삼아 죽이고 싶은 사람을 죽이고, 죽이고 싶은 가족을 마음대로 죽일 수 있었던 거야.
그쪽으로 가지 마. 황제 눈에 띄겠어.
어이쿠. 큰일 날 뻔했네. 언제 기분이 나빠질지 몰라.
어떤 황족은 황제가 직접 서명한 각서에 실수로 무엇인가를 써 넣는 바람에 황제에 대해 경의를 가지고 있지 않은 자로 낙인찍혔어.
어떤 놈이 감히 내 글에 낙서를 해 놓은 것이냐. 당장 이놈을 잡아 오너라!
이로 인해 그의 가족은 전대미문의 무서운 박해를 받아야 했지.

로마에서 A라는 사람이 B라는 사람을 죽이는 꿈을 꾸었어.
B는 A가 실제로 그런 생각을 했기 때문에 꿈을 꾼 것이라며 A를 고발하여 죽게 했어.
이것은 대단한 폭정이 아닐 수 없어.
설사 A가 그런 생각을 했어도 그는 아직 실행하지는 않았기 때문이야.
너, 지금 무슨 생각했어?
아… 아무 생각 안 했어.
법은 외적인 행위 이외의 것을 처벌해서는 안 되는 거야.
생각만 했는데 뭐 어때?
어떤 사람이 말을 경솔하게 했다고 처벌해서도 안 돼.
넌, 그 입만 막으면 안전해.
법이 명시적으로 처벌할 말을 나타내지 않았다면 경솔하거나 불경한 말을 했다고 해서 중형을 주어서는 안 돼.
말은 관념에 머물러 있고 명백한 행위를 형성하지 않아.
이 나쁜 놈. 넌 죽어 마땅해!
얼마든지 말해. 안 죽으면 되지 뭐~.
또한 말은 그 말투에 따라 의미가 달라지는 경우도 있어.
지금까지 고작 이거밖에 일을 안 한 거야?
말을 기분 나쁘게 하네~.
때로는 같은 말을 되풀이해도 같은 뜻을 갖지 않는 경우가 있지.
☞&♨☆@★
그것은 말이 다른 것과의 관계에 의존한다는 것을 의미해.
왜 화내지? 같이 먹자는데….

그런데 어떻게 말을 가지고 죄를 논하고 형벌에 처할 수 있겠어?
만약에 말 때문에 처벌하는 법이 만들어지는 곳이라면,
그곳에 자유란 존재하지 않을 뿐만 아니라 자유의 그림자마저도 사라져 버릴 거야.
공화정체에서 경솔한 말을 했거나 불경죄를 저질렀다고 처벌하는 짓은 정말 위험한 일이야.
나라가 망하려고 이렇게 덥나?
전복을 기도한 사람들을 적발한 경우라면 고발한 사람을 포상해서는 안 돼.
아주 기특하구나.
복수를 품은 자들이 언제 보복할 지 모르기 때문이야.
네놈이 날 고발했겠다!
그리스 인은 참주에 대한 보복에 제한을 두지 않았어.
그들은 참주의 아이들을 죽이고 때로는 제일 가까운 친족 중 다섯 사람까지 죽였어.
이 일로 그리스의 공화정은 기반이 흔들렸어.
자유를 존중하는 나라에서는 모든 사람의 자유를 지켜 주기 위해 어떤 한 사람의 자유를 박탈하는 법이 있어.
자유박탈
로마 공화정에도 이런 법이 있었지. 키케로는 이런 법은 당연히 폐지되어야 한다고 주장했어.
저런 법은 우리에게 독이 될 뿐이야.
왜냐하면 법의 힘이란 법이 만인 위에서 제정되고 집행될 때에만 발휘되기 때문이야.
법

노예 제도

노예란 남의 소유물이 되어 부림을 당하는 사람을 말합니다. 인간으로서 기본적인 권리나 자유를 빼앗겨 자기 의사나 행동을 주장하지 못하는 존재입니다. 노예는 모든 권리와 생산 수단을 빼앗기고 물건처럼 사고 팔리기도 합니다. 인류 역사에서 노예는 언제부터 있었으며 어떤 대우를 받았는지 살펴보겠습니다.

노예 제도의 시작

노예 제도는 인간의 무리가 정착을 하여 곡식을 일구던 신석기 시대부터 있었던 것으로 추정됩니다. 기원전 약 10,000년 전 농업 혁명으로 잉여 생산물이 늘어났고 인구가 증가하기 시작했습니다. 인구 밀도가 높아지자 사람들은 모자라는 식량과 살 곳을 확보하기 위해서 다른 부족과 전쟁을 했습니다. 이때 정복자들은 정복을 당한 이들을 자신들보다 신분이 낮은 계층으로 부렸는데 이것이 노예 제도의 시작이었습니다.

이집트의 노예들

노예 제도에 관한 최초의 기록은 기원전 1,760년 전에 만들어진 함무라비 법전에 나와 있습니다. 그 후 인간이 문명을 이루고 살았던 곳이면 어디든지 노예 제도에 대한 기록이 있습니다. 범죄를 저지른 사람들, 돈을 빌리고 갚지 못하는 사람들, 반역을 한 사람들의 가족들, 전쟁을 해서 진 나라의 사람들, 부모가 노예인 사람들이 대부분 노예가 되었습니다. 고대 그리스 시대에 민주정을 했던 아테네의 인구 중에서 약 40%가 노예였다고 하니 노예 제도가 얼마나 광범위하게 시행되었는지 알 수 있습니다. 플라톤이나 아리스토텔레스와 같은 현자들도 노예 제도를 인정했을 정도입니다.

노예 제도의 확대

노예 제도가 발전하게 된 데에는 로마 제국의 역할이 컸습니다. 로마 제국이 여러 민족과 전쟁을 하면서 승리를 거두었고 전쟁에서 진 민족들 중 많은 이들을 노예로 삼았기 때문입니다. 로마 제국은

노예들의 도움으로 물질적인 발전을 이루었다고 해도 과언이 아닙니다. 기록에 의하면 로마 시에만 해도 약 400,000명의 노예들이 있었고 로마 제국이 존재하는 기간 동안 유럽 전역과 아프리카 등에서 노예로 살았던 사람이 약 1억 명이 넘는다고 합니다.

로마의 노예 시장을 묘사한 그림

노예 제도가 가장 극심했던 시기는 15세기 이후 유럽인들이 아메리카 대륙을 발견한 이후 아메리카와 아프리카에 식민지를 활발하게 경영하기 시작했을 때였습니다. 1444년에 포르투갈은 아프리카에서 노예를 수입하여 판매하는 노예 시장을 본격적으로 운영했습니다. 그 결과 리스본의 인구 10% 이상이 아프리카의 흑인 노예였을 정도로 유럽에 흑인 노예가 보편화되었습니다. 16세기 후반에는 아프리카 노예를 유럽에서 거래하는 대신에 아메리카로 보내어 대규모 농장의 노동자로 부리는 대서양 노예무역이 시작되었습니다. 16세기에서 19세기에 유럽인에 의해 아프리카에서 아메리카로 건너간 흑인 노예들의 수는 약 1,200만 명이었다고 합니다.

노예 제도의 폐지

노예들의 끊임없는 반란과 일반인들의 인권 의식의 발달로 노예 제도는 전 세계적으로 시간의 차이를 두고 폐지되었습니다.

1780년에서 1804년 사이 미국의 북부 지방에서는 노예를 해방시키는 법이 통과되었으나 실질적인 노예 해방은 시간을 두고 점진적으로 진행되었습니다. 이 기간에 미국의 남부 지방에서는 오히려 노예 제도가 확대되어 노예의 수가 더 늘었습니다. 1850년 미국의 대통령 아브라함 링컨이 노예 해방을 선언하자 남부 지방이 이에 반대하고 남북 전쟁이 일어났습니다. 남북 전쟁에서 북부가 승리하고 1865년 12월 미국의 수정 헌법 13조로 미국에서는 공식적으로 노예 제도가 폐지되었습니다. 그러나 흑인에 대한 인종 차별 의식은 오랜 세월 동안 남아 흑인들은 식당이나 학교, 교통과 의료 시설, 그리고 직업 선택에서 차별을 받았습니다.

우리나라는 1894년 갑오개혁으로 노비 제도가 공식적으로 폐지되었으나 실제로는 1930년대까지 존속했습니다. 청나라는 1910년에 노예 제도를 폐지하는 법을 발효시켰습니다. 현대에 와서 국제 조약과 법률에 의해 사람을 소유하거나 매매하는 일이 금지되었습니다. 하지만 지금도 세계 곳곳에서 여성의 성과 아동의 노동력을 착취하는 인신매매가 근절되지 않고 있습니다.

8장
풍토 및 토지와 법의 관계
법
풍토와 법의 관계
풍토란 어떤 지역의 기후, 토지의 상태, 상태적인 환경 등을 통틀어서 말할 때 사용하는 단어야.
사람의 생각이나 정신적인 경향은 자신이 사는 지역의 풍토에 영향받을 수밖에 없어.
먹는 것이 다르고, 보는 것이 다르고, 느끼는 것이 다르기 때문이지.
우린 빵만 먹고 살지~.
따라서 법도 풍토에 따라 다르게 제정되어야 할 거야.
법

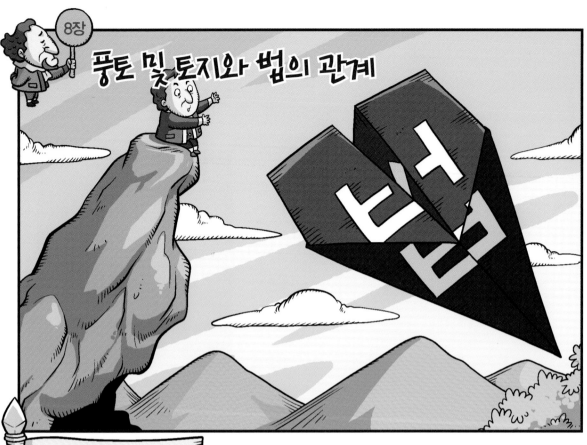

추운 풍토에서 사는 사람들은 대체로 체력이 강해.
심장은 큰 힘을 가지고, 혈액은 심장을 향해 세차게 흐르지.
그래서 추운 풍토에 사는 사람들은 자신감이 넘쳐.
용기가 많고, 자신에 대한 우월감이 있으며 감정에 솔직하지.
반면 복수심은 적고, 상대를 쉽게 의심하지 않고, 정략적인 음모를 꾸미지 않아.
한마디로 솔직 담백해!
도와드릴까요?
또한 추운 풍토에서 사는 사람들은 쾌락적인 일에 비교적 관심이 적어.
나는 생각한다. 고로 나는 존재한다.
반면에 따뜻한 풍토에서 사는 사람들은
노세, 노세, 젊어서 노세!
쾌락에 관심이 아주 많아.
몽테스키외는 기후가 위도에 따라 달라지는 것처럼 쾌락에 대한 감수성도 위도에 따라 다르다고 했어.
저는 이탈리아와 영국에서 같은 오페라를 본 적이 있습니다. 배우도 같았지요.
그런데 두 나라 국민들이 같은 오페라를 보고 느낀 감정은 믿기 어려울 정도로 차이가 컸습니다.

오페라를 본 후에 영국인은 아주 조용했어요. 반면에 이탈리아 인은 크게 감동을 받은 듯 몹시 흥분했답니다.
몽테스키외는 연애에 대한 감정도 비슷하다고 했어.
추운 풍토에서는 연인들이 연애를 하는지 안 하는지 겉으로 봐서는 판단하기가 어려워요. 감정을 밖으로 잘 표현하지 않기 때문이지요.
반면 따뜻한 풍토에서는 연애를 하면 금방 표시가 나요. 여성들이 다양한 장신구를 하기 때문이지요.
더운 풍토에서 연애는 생활 그 자체라고 할 수 있어요. 연애라는 행위를 좋아하기 때문이지요.
더운 풍토의 사람들은 연애가 행복의 유일한 원천이고 생명 그 자체라고 여겨요.
추운 풍토에 사는 사람들은 육체가 건강하고 튼튼해.
그래서 그들은 바깥에서 많은 활동을 하고 그것에 만족을 해.
그들은 틈만 나면 사냥을 하고, 여행을 하고, 전쟁을 일으키지.

대신 이들은 자신이 하는 일에 늘 성실하고 솔직한 편이야.
밀어 드릴까요?
고맙소.
또한 도덕과 미덕에 큰 가치를 두지.
도덕
미덕
반면 따뜻한 풍토에 사는 사람들은 상대적으로 도덕심이 부족해.
일 안 할 거야?
몰라. 덥고 귀찮아.
따뜻한 풍토의 열기가 육체를 무력하게 만들고 마음의 정념을 불태워 범죄를 많이 일으키지.
어제 내 욕을 하고 다녔다 이거지?
이들은 호기심도, 고귀한 행동도, 관대한 감정도 부족해.
낮잠 자는데 왜 이렇게 시끄러워?
내가 언제?
따뜻한 풍토에서 사는 사람들은 정신적인 활동도 수동적으로 해.
생각으로만 일할 수 없을까….
그들에게는 게으름이 아주 큰 행복이야.
언젠가 떨어지겠지….
예를 들어 따뜻한 풍토에서 사는 인도인은 휴식과 무(無)가 만물의 기초라고 생각해.
또한 휴식과 무(無)가 만물이 귀결되는 목표라고 믿어.
인생무상!
그래서 인도인들은 완전한 무에 이르는 것이 가장 완전한 상태이며,

인생의 목표라고 여겨.
몽테스키외는 인도인들이 이렇게 된 것은 심한 더위 때문이라고 했어.
심한 더위는 쇠약하게 만들지요. 더운 곳에 사는 사람들은 아무 일도 하지 않고 편하게 쉬는 것을 아주 좋아해요.
많이 움직이는 것을 아주 싫어한답니다.
그는 이러한 풍토가 사람들의 사고 체계를 수동적으로 바꾸었다고 생각했어.
공즉시색이요, 색즉시공이라!
중국인들은 인도인들과 다르게 생각했어.
사람은 평온한 상태에 이르는 게 아니라
생활의 의무를 완수하며 살아야 한다고 생각한 것이지.
그래서 중국의 종교와 철학과 법은 매우 실용적이야.
중국
중국인들은 자연적 원인이 사람을 휴식으로 이끌면 이끌수록 도덕적 원인은 사람을 휴식으로부터 멀어지게 해야 한다고 믿었어.

몽테스키외는 수도제도(修道制度)가 인간의 건강한 노동 활동에 나쁜 영향을 준다고 말했어.
수도제도(修道制度)는 사람들이 행동보다 사변(思辨)을 중요하게 여기는 동양의 더운 나라에서 생겨났습니다.
아시아에 승려나 수도사의 숫자가 많은 것은 더운 풍토 때문이 아닌가 생각합니다.
더위가 심한 인도는 승려로 가득 차 있잖아요? 반면에 더위가 심하지 않은 유럽에서는 승려를 찾아보기 어렵습니다.
유럽
풍토로 인한 나태를 극복하기 위해서는 노동하지 않고 살아갈 수 없도록 법을 만들어야 합니다.
밥 먹고 살려면 열심히 일해야지.
법으로 노동하지 않고 살 수 있는 수단을 강제로 빼앗아야 합니다.
배고파.
꼬르륵
그런데 따뜻한 풍토의 유럽 남부에서는 정반대의 일이 일어나고 있습니다. 오히려 법이 나서서 아무 일도 하지 않은 사람들에게 막대한 부를 보태 주고 있습니다.
법
그들은 하루 종일 노동하지 않고 끼리끼리 모여서 파티나 하면서 고고한 척 철학적인 사변에 몰두하지요.

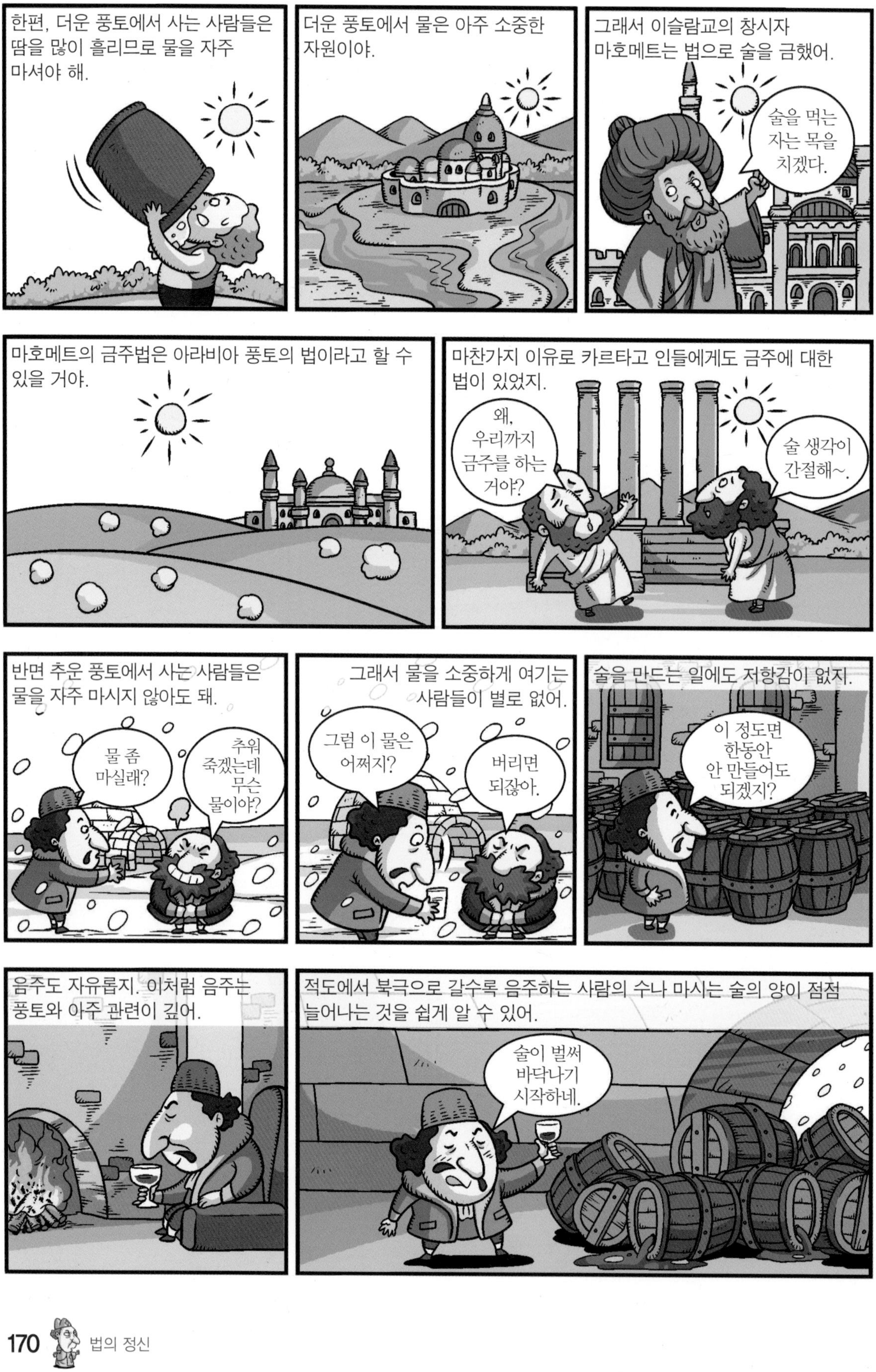
한편, 더운 풍토에서 사는 사람들은 땀을 많이 흘리므로 물을 자주 마셔야 해.
더운 풍토에서 물은 아주 소중한 자원이야.
그래서 이슬람교의 창시자 마호메트는 법으로 술을 금했어.
술을 먹는 자는 목을 치겠다.
마호메트의 금주법은 아라비아 풍토의 법이라고 할 수 있을 거야.
마찬가지 이유로 카르타고 인들에게도 금주에 대한 법이 있었지.
왜, 우리까지 금주를 하는 거야?
술 생각이 간절해~.
반면 추운 풍토에서 사는 사람들은 물을 자주 마시지 않아도 돼.
물 좀 마실래?
추워 죽겠는데 무슨 물이야?
그래서 물을 소중하게 여기는 사람들이 별로 없어.
그럼 이 물은 어쩌지?
버리면 되잖아.
술을 만드는 일에도 저항감이 없지.
이 정도면 한동안 안 만들어도 되겠지?
음주도 자유롭지. 이처럼 음주는 풍토와 아주 관련이 깊어.
적도에서 북극으로 갈수록 음주하는 사람의 수나 마시는 술의 양이 점점 늘어나는 것을 쉽게 알 수 있어.
술이 벌써 바닥나기 시작하네.

풍토가 다르면 사람들의 욕구도 달라져.
각기 다른 욕구는 생활 양식을 다양하고 복잡하게 만들었고,
복잡한 생활 양식은 복잡하고 다양한 법률을 탄생시켰어.
결론적으로 풍토가 법의 다양성에 아주 중요한 기여를 한 셈이야.
풍토병과 법에 대해 알아볼까? 십자군은 유럽에 문둥병을 가져왔어.
다행히 문둥병에 대처하는 현명한 법이 제정되어서 그 병이 대중에게 널리 전염되는 일은 막았어.
롬바르디아의 왕 로타리스가, 자기 집에서 쫓겨나 특별한 장소에 유폐된 문둥병자는 그 집을 떠나는 순간부터 죽은 자로 간주되기 때문에 그 재산을 처분할 수 없다고 법으로 정했어.
나 모르겠어? 나야 나!
누구세요? 귀신인가?
로타리스는 문둥병자의 교섭을 차단하기 위해서 그들을 민법상 무능력자로 만든 거야.
그 결과 문둥병자들의 접촉이 줄어들었고 이로 인해 병은 널리 전파되지 않았지.

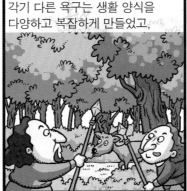

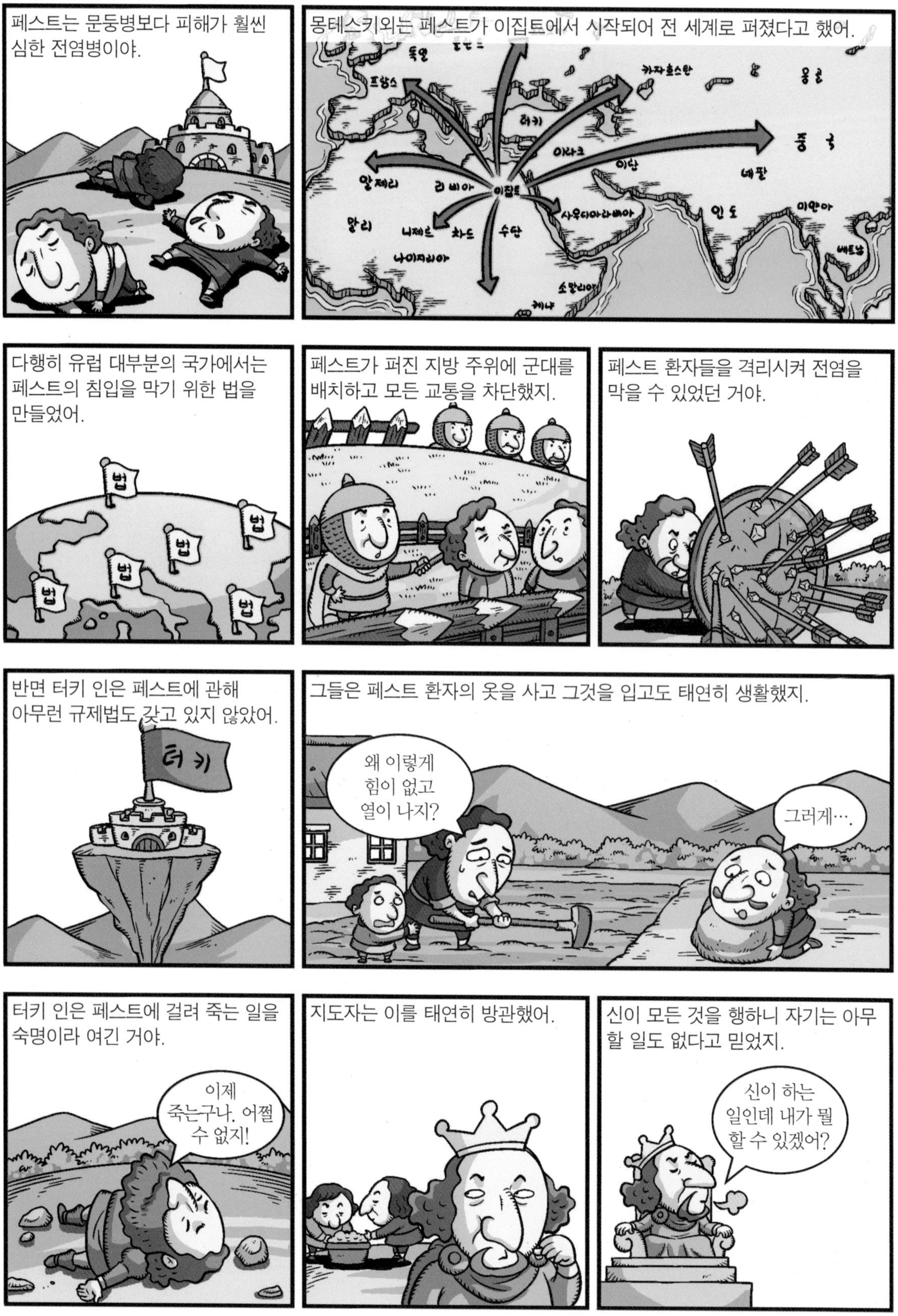
페스트는 문둥병보다 피해가 훨씬 심한 전염병이야.
몽테스키외는 페스트가 이집트에서 시작되어 전 세계로 퍼졌다고 했어.
독일
프랑스
카자흐스탄
몽골
터키
이라크
이란
중국
알제리
리비아
이집트
사우디아라비아
네팔
말리
니제르
차드
수단
인도
미얀마
나이지리아
베트남
소말리아
케냐
다행히 유럽 대부분의 국가에서는 페스트의 침입을 막기 위한 법을 만들었어.
법
법
법
법
법
법
페스트가 퍼진 지방 주위에 군대를 배치하고 모든 교통을 차단했지.
페스트 환자들을 격리시켜 전염을 막을 수 있었던 거야.
반면 터키 인은 페스트에 관해 아무런 규제법도 갖고 있지 않았어.
터키
그들은 페스트 환자의 옷을 사고 그것을 입고도 태연히 생활했지.
왜 이렇게 힘이 없고 열이 나지?
그러게….
터키 인은 페스트에 걸려 죽는 일을 숙명이라 여긴 거야.
이제 죽는구나. 어쩔 수 없지!
지도자는 이를 태연히 방관했어.
신이 모든 것을 행하니 자기는 아무 할 일도 없다고 믿었지.
신이 하는 일인데 내가 뭘 할 수 있겠어?

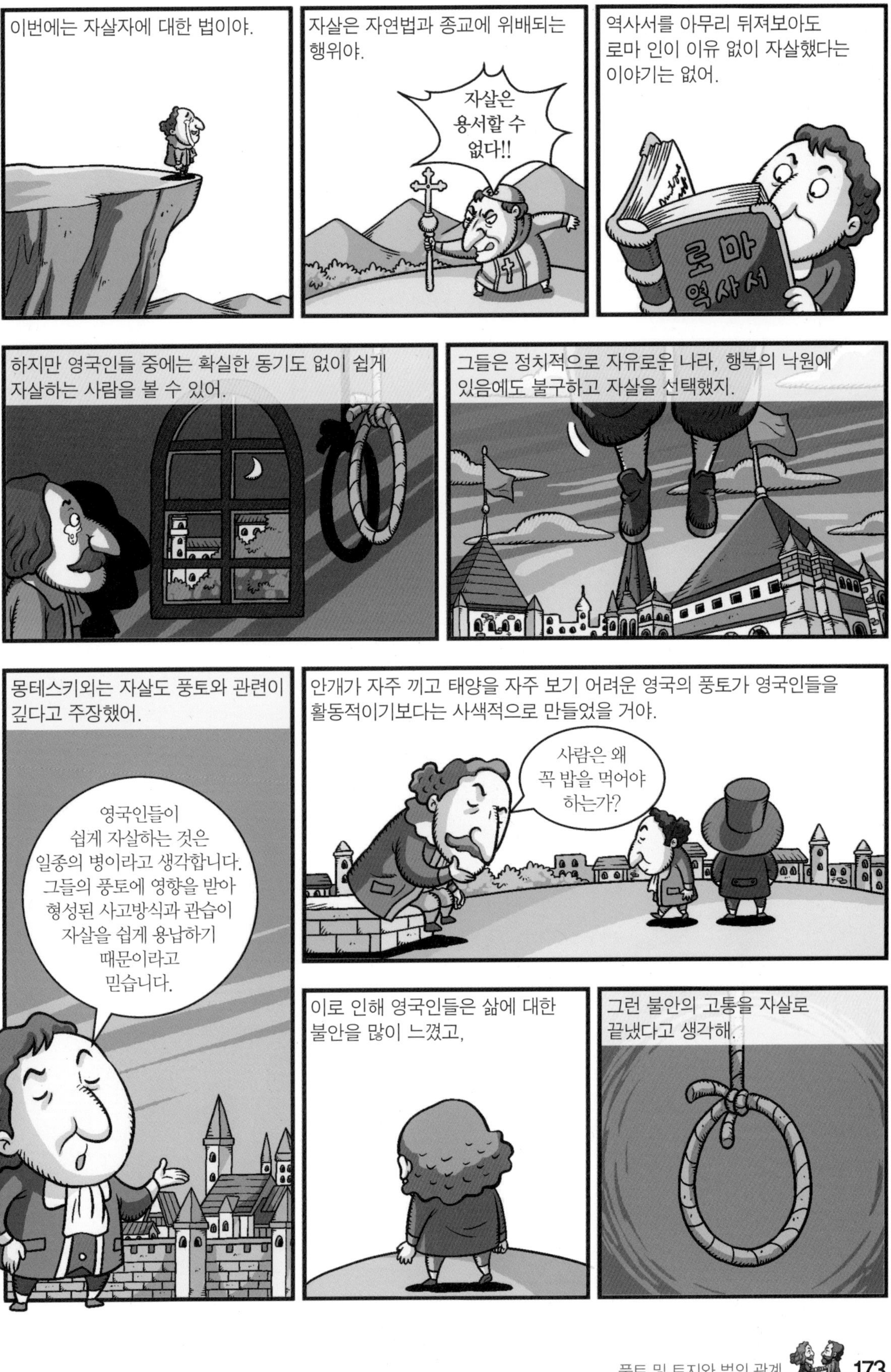
이번에는 자살자에 대한 법이야.
자살은 자연법과 종교에 위배되는 행위야.
자살은 용서할 수 없다!!
로마 역사서
역사서를 아무리 뒤져보아도 로마 인이 이유 없이 자살했다는 이야기는 없어.
하지만 영국인들 중에는 확실한 동기도 없이 쉽게 자살하는 사람을 볼 수 있어.
그들은 정치적으로 자유로운 나라, 행복의 낙원에 있음에도 불구하고 자살을 선택했지.
몽테스키외는 자살도 풍토와 관련이 깊다고 주장했어.
영국인들이 쉽게 자살하는 것은 일종의 병이라고 생각합니다. 그들의 풍토에 영향을 받아 형성된 사고방식과 관습이 자살을 쉽게 용납하기 때문이라고 믿습니다.
안개가 자주 끼고 태양을 자주 보기 어려운 영국의 풍토가 영국인들을 활동적이기보다는 사색적으로 만들었을 거야.
사람은 왜 꼭 밥을 먹어야 하는가?
이로 인해 영국인들은 삶에 대한 불안을 많이 느꼈고,
그런 불안의 고통을 자살로 끝냈다고 생각해.

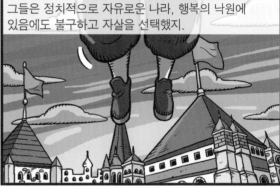

토지의 성질과 관계되는 법

토지가 비옥한 곳에 사는 사람들은 종속적이기 쉬워.
국민의 중요한 부분을 차지하는 농민들은 자유를 그다지 소중히 여기지 않아.
자유?
그게 뭐 하는 거야?
농사일에 늘 열중해 있고 바쁘기 때문이지.
관심없어.
하지만 그들은 약탈을 아주 두려워해.
그래서 군대를 무서워하지.
이런 농민들을 보고 키케로는 다음과 같이 말했다고 해.
상인이나 농민은 정부의 편이 될 것입니다. 그들은 안락하게 지낼 수만 있다면 군주정체이든 전제정체이든 상관하지 않습니다.
그러므로 1인 통치의 정체는 비옥한 지방에서 더욱 자주 볼 수 있어.
반면 다수 통치의 정체는 토지가 비옥하지 못한 지방에서 볼 수 있지.

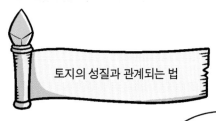

비옥한 땅에 있는 사람들은 강자에게 싸움을 쉽게 걸지 않아.
한번 싸울래?
싫어. 그냥 말로 하자.
강자에게 쉽게 복종하지.
일단 강자에게 항복하고 나면 자유의 정신은 상실되고 말아.
자유
그러므로 농민들의 재물은 강자에 대한 충성의 담보라고 할 수 있을 거야.
하지만 토지가 비옥하지 않은 산간 지방에 사는 사람들은 경우가 달라.
그들이 보존할 수 있는 것이란 작고 척박한 땅 뿐이야.
그래서 그들은 자유를 더욱 소중히 여겨.
자유
그들이 정체로부터 누리는 자유는 그들이 그 정체를 방위할 만한 가치가 있는 유일한 재산이야.
자유
이러한 이유로 자유는 자연의 혜택을 보다 많이 받은 지방보다
자연 조건이 나쁜 지방에서 더욱 소중한 가치를 발휘하지.

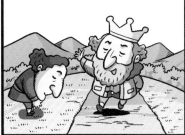

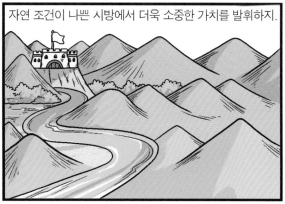

산간의 주민들은 정복될 위험이 거의 없으므로 보다 제한적인 정체를 유지해.
산간의 주민들과 전쟁을 하려면 무기와 식량을 모아서 수송하는 일에 많은 비용이 들어.
그들과 전쟁을 한다는 것은 위험한 일이야.
그래서 산간 지방에서는 주민의 안전과 관련된 법의 중요성이 토지가 비옥한 지역보다 훨씬 떨어져.
쓸데없이 이런 걸 왜 써놓은 거야?
위험지역
비옥하지 않은 토지를 가진 사람들은 근면하고 성실해.
그들은 땅이 쉽게 주지 않는 것을 얻기 위해 매일 노동을 해야 해.
이 정도 일은 익숙하지.
몸도 튼튼하고 용감해서 전쟁을 수행하는 능력이 뛰어난 편이지.
반면에 비옥한 토지를 가진 사람들은 안락한 삶을 누려.
그럴수록 그들은 유약해지고 생명을 보전하는 일에 깊은 애착을 가져.
으아악~. 깜짝이야!

독일의 군대를 예로 들면 쉽게 이해할 수 있을 거야.
독일
독일의 작센 지방의 농민들은 대체로 부유했어.
때문에 작센 지방에서 징집한 병사들은 다른 지역에서 징집한 병사들보다 약했지.
그러므로 작센 지방에서 징집한 병사들로 구성된 군대의 법은 다른 군대의 법보다 더욱 엄격했다고 해.
난 더 이상 못해.
왜, 우린 쉬지도 못하게 하는 거야!
또한 법은 각 민족이 생계를 획득하는 수단과 밀접한 관계가 있어.
법
상업 및 항해에 종사하는 민족에게는 토지를 경작하는 것으로 만족하는 민족보다 더 광범위한 법전이 필요해.
토지를 경작하는 민족에게는 목축으로 생활하는 민족보다 더 광범위한 법전이 필요하고,
목축으로 생활하는 민족에게는 수렵으로 생활하는 민족보다 광범위한 법전이 필요하지.

토지를 경작하지 않는 사람들은 서로 싸울 소지가 많아.
여긴 내 땅이야! 저쪽으로 가!!
그들은 개간되지 않은 땅을 두고 다툴 것이며,
어째서 당신 땅이야?
수렵이나 어업 활동을 할 때 다투기 쉽고,
가축의 사료를 얻거나 노예를 약탈하는 일 등의 이해관계 때문에 전쟁도 자주 해.
따라서 토지를 경작하지 않는 사람들은 시민법보다는 만민법이 더욱 중요한 법으로 작용할 거야.
만민법
시민법
이번에는 배를 타고 가다가 사고를 당해서 혼자서 낯선 민족이 사는 곳에 이르렀다고 생각해보자.
만약 그곳에서 화폐를 보게 된다면 문명 국민이 사는 나라에 도착했다고 생각할 수 있을 거야.
$
왜냐하면 화폐를 사용한다는 것은 사람들이 토지를 경작하며 산다는 것을 의미하기 때문이야.
조금만 기다려. 이번에 수확해서 옷 사 줄게.
토지를 경작한다는 것은 이미 기술과 지식이 많이 발전하여 문명을 이루고 있다는 것을 의미하지.

화폐 사용이 제도적으로 안정된 나라에서는 사람들이 간계를 자주 부리고,
?
다양한 방법으로 부정한 일을 도모해.
화폐가 없는 곳에서는 도둑이 물품만 훔쳐. 그 물품은 서로 다르지.
도둑은 훔친 물품을 항상 몸에 지니고 있으므로 숨길 수가 없어.
그거 우리집에 있었던 건데?
화폐가 있는 곳에서는 도둑이 화폐를 훔치는데 화폐는 겉모습이 같아.
그러므로 화폐를 사용하는 나라에서는 잘 만들어진 시민법이 있어야 해.
시민법
악인이 새로운 수단과 방법으로 범죄를 저지르기 때문에 그에 따라 시민법도 발전하게 되어 있어.
시민법
토지를 경작하지 않는 민족은 사치에 대한 관념이 거의 없어.
내 일 도와주면 옷 사 줄게~.
필요없어.
대표적인 예로 게르만 민족을 들 수 있을 거야. 그들의 검소함은 실로 감탄할 만해.
게르만 민족은 아름다운 옷을 만들어 입지 않아. 또한 장식물도 주로 자연에서 얻은 거야.
게르만 민족에게서 우두머리를 찾기란 어려워. 우두머리들도 자연에서 얻은 장식물로 치장을 하고 있기 때문이야.

이슬람교의 금기

이슬람교는 불교, 기독교와 함께 세계 3대 종교의 하나로 손꼽히는 종교로 7세기 초 무함마드가 세운 종교입니다. 이슬람교를 믿는 이들을 무슬림이라고 하는데 이들은 종교적인 가르침에 의해 몇 가지 금기 사항을 엄격하게 지키지요. 대표적인 금기 사항은 다음과 같습니다.

신과 선지자에 대한 불신과 모독 행위

이슬람교의 성스러운 계시를 집대성한 코란

이슬람교는 다른 종교보다 신도들의 신앙이 매우 적극적이며 자신들의 종교에 대해 자부심이 강한 편입니다. 그래서 이슬람교에서 믿는 유일신인 알라, 알라의 계시를 모은 경전인 코란, 이슬람교를 세운 선지자 무함마드를 모독하거나 배신하는 행위는 목숨까지 내놓아야 하는 금기 중의 금기 사항입니다.

이를 잘 보여 주는 사건이 2005년에 덴마크에서 일어났던 만평 사건입니다. 율란츠 포스텐이라는 사람이 무함마드의 얼굴이라는 제목으로 만평을 실었는데, 만평의 내용은 시한폭탄 모양의 터번을 둘러 쓴 무함마드가 죽어서 천국에 온 이슬람 자폭 테러리스트들에게 너희들에게 나눠 줄 처녀가 다 떨어졌다고 비꼬는 것이었습니다. 이 만평을 본 전 세계의 무슬림들은 크게 분노했습니다. 매일 대규모 시위가 벌어졌고 이슬람 국가에 있는 덴마크 대사관은 불에 타고 직원들은 본국으로 도망을 가야했습니다. 무슬림들에게 선지자 무함마드는 기독교의 예수와 같은 존재로 그림으로 나타내는 것조차 불경스러운 일인데 그의 머리에 시한폭탄 모양의 터번을 씌웠으니 이것은 용서할 수 없는 일이었지요.

단식 기간의 금기 사항

이슬람교에서는 신도들이 반드시 지켜야 할 다섯 가지 행동 규범이 있습니다. 신앙 고백, 예배, 단식, 성지 순례, 그리고 자카트(가난한 자를 돕기 위해 세금을 내는 일)입니다. 이 중에서 단식은 건강한

신체를 가진 무슬림들은 일 년에 한 번씩 라마단 기간에 꼭 해야 하는 일입니다.

단식은 해가 떠 있는 동안에 하는데 물을 포함해서 모든 음식을 먹어서는 안 됩니다. 뿐만 아니라 담배를 피워서도 안 되고, 남에게 욕을 하거나 폭력 행위를 해서도 안 되고, 낮잠을 자도 안 되고, 텔레비전을 보거나 짙은 화장을 해서도 안 되고 부부 사이에 사랑을 나누어도 안 된답니다. 사우디아라비아에서는 외국인들이 단식 기간에 식사를 하거나 담배를 피우다가 걸리면 근로 계약을 취소하거나 추방을 하는 일도 있었답니다.

이자를 받을 수 없다

코란에 보면 '이자를 탐하는 자들은 사탄이 스치므로 정신을 잃어 …… 알라께서는 장사는 허락하셨으나 이자는 불법으로 만드셨노라. …… 만약 너희들이 믿는 자들이면 이자를 포기하라.'라는 말이 나옵니다. 무함마드도 이자를 받는 자나 이를 도와주는 이들에게는 알라의 저주가 있을 것이라고 저주했습니다. 그렇게 한 까닭은 이자가 불로소득의 원천이 되며 이는 인간을 말살시키고 형제애를 고갈시키는 행위로 보기 때문입니다. 무슬림들은 이자를 받는 행위는 지옥으로 가는 지름길이라고 생각합니다.

돼지고기와 술을 먹지 않는다

코란을 보면 '죽은 고기와 피와 돼지고기를 먹지 마라. 또한 알라의 이름으로 도살되지 아니한 고기도 먹지 마라.'고 나와 있습니다. 아주 오래 전부터 이슬람 국가에서는 돼지를 불결하고 사람에게 해로운 동물로 여겼습니다. 실제로 돼지고기를 많이 섭취하는 나라에서는 기생충 보유자가 많다고 합니다. 그래서 코란에도 돼지고기를 먹지 말라고 한 것으로 생각됩니다.

술도 금하고 있습니다. 코란에 '믿는 자들이여 술과 도박과 우상숭배와 점술은 사탄이 행하는 불결한 것이거늘 그것들을 피하라. 그러면 너희가 번성하리라.'라고 기록되어 있습니다. 무슬림들은 술과 관련된 모든 행위를 사탄이 행하는 불결한 일로 봅니다.

9장

국민의 정신과 생활 양식에 영향을 주는 법

국민의 일반 정신이란 무엇인가? 인간은 많은 것들의 지배를 받고 있어.

풍토나 종교,

법률의 지배를 받지.

또한 습속*과 생활 양식 등의 지배도 받아.

몽테스키외는 이러한 요소들에 의해 인간의 일반 정신이 형성된다고 했어.
일반정신

* 습속(習俗) : 습관이 된 풍속

몽테스키외는 어떤 요소가 나머지 요소들보다 큰 영향력을 가지게 되면
으악! 저쪽에 있다간 뼈도 못 추리겠다.
다른 요소들은 국민의 일반 정신을 형성하는 데 영향력을 거의 발휘하지 못한다고 했어.
미개인들은 자연과 풍토의 지배를 가장 크게 받습니다.
중국인들은 주로 생활 양식의 지배를 받고, 일본인들은 폭력적인 법의 지배를 받습니다.
로마에서는 고대로부터 내려오는 생활 양식과 통치의 격률*의 지배를 받았던 적이 있었지요.

* 격률(格率) : 행위의 규범이나 윤리의 원칙.

만약에 열린 마음을 가지고 생활을 즐기며,
유쾌하고 명랑하며 자기 생각을 잘 드러내고,
때로는 조금은 경솔하고 점잖지는 않지만,
이 옷 어때? 비싸게 주고 산 거야~.
음….
용기가 있고 긍지에 찬 국민이 있다고 하자.
나?
이럴 경우 입법자들은 절대로 이들 국민이 가진 생활 양식과 덕성을 방해하는 법률을 제정해서는 안 돼.
정체의 원리에 어긋나지 않는 한 입법자는 국민의 정신에 따라야 합니다.
건들이지 마시오.

사람은 자유롭게 자연의 순리에 따라서 일을 할 때 최선을 다하기 때문입니다.
몽테스키외가 이렇게 말한 것은 사람에게 약간의 결함이 있다 하더라도 성격이 좋다면 모든 것을 덮을 수 있다고 생각하기 때문이야.
안 보이게 잘 덮어졌지?
자연은 사람에게 활기를 주었어.
물론 그 활기 때문에 사람들은 남에게 손상을 입히기도 하고,
너희들이 지금 내 기분을 알아?
자기 자신에 대해서 존경심을 가지지 않는 경우도 종종 생기지.
아 취한다. 노세, 노세, 젊어서 노세!
이런 활기 때문에 남자는 여자와 교제를 하고,
여자를 사귀는 동안 남자들은 우아한 생각과 행동을 하기도 해.
그러므로 국가나 입법자들은 되도록 국민들을 있는 그대로 놓아두는 것이 좋아.
귀찮게 하지 말라고!
사람의 솔직한 성격은 사람이 가지고 있는 악의 없는 본질들과 잘 어울려서
본질
사교적 생각과 행동을 통제하는 법을 쉽게 받아들이지 않기 때문이야.
이딴 거 필요 없어.
통제

전제정체 국가의 생활양식과 습속
전제정체 국가에서는 습속과 생활 양식을 바꾸면 안 된다는 중요한 격률이 있어.
전제정체
이를 용인한다면 전제정체를 뒤엎는 혁명이 일어날 수도 있기 때문이지.
혁명
전제정체
왜냐하면 전제정체 국가는 제대로 된 법이 아니라,
법
이딴 거 필요 없어!
주로 습속과 생활 양식에 의해 국민을 통치하기 때문이야.
생활양식
습속
따라서 습속과 생활 양식을 전복시키면 모든 것을 전복시키는 셈이 돼.
법은 만들어지는 것이지만 습속은 그냥 느끼는 거야.
냄새가 지독해.
습속은 법보다 좀 더 일반 정신에 가까워.
우리가 하는 대로 사는 게 편하지?
그럼. 이건 바꿀 수 없어.
일반 정신
반면에 법은 특수한 상황에서 잘 들어맞지.
법
그러므로 일반 정신을 혼란하게 만드는 것은 법을 바꾸는 것보다 더 위험한 일이야.
법
이거 뚫리면 큰일 나!

누군가 자신이 가진 권력을 자의적으로 행사하는 나라에서는 일반 국민들이 고통받는 삶을 살아.
이런 나라에 사는 사람들은 이웃과의 교제를 꺼려.
하루하루 살아가기도 힘든데 교제는 무슨 교제야!
반면 직위와 상관없이 모든 신분에서 자유를 누리는 나라의 사람들은 이웃과 쉽게 교제를 나누며 살아.
자유가 없고 권위적인 문화에서 사는 사람들의 습속이나 생활 양식이 변하기란 쉬운 일이 아니야.
생활양식
습 속
이들의 변동이 없는 생활 양식은 거의 법이라고 할 수 있어.
법
그러므로 전제정체를 택한 나라의 군주나 입법자는 다른 어떤 나라보다도 습속이나 생활 양식을 어지럽히면 안 돼.
전제정치

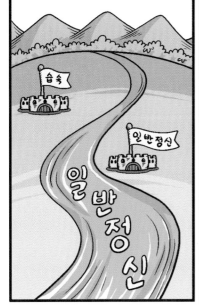

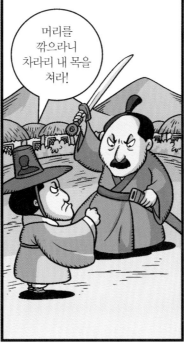

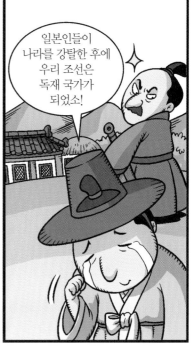

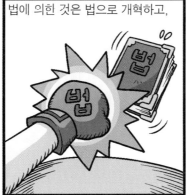

국민의 습속과 생활 양식을 변경하는 자연적 방법은 무엇인가? 습속과 생활 양식은 국민의 일반 정신에서 나온 것이라고 할 수 있어.
습속
일반정신
일반정신
그러므로 습속이나 생활 양식은 결코 법에 의해 쉽게 변경될 수 있는 것이 아니야.
머리를 깎으라니 차라리 내 목을 쳐라!
억지로 법의 힘에 의해 습속이나 생활 양식을 바꾸려고 하면 그 나라는 전제적으로 보일 거야.
일본인들이 나라를 강탈한 후에 우리 조선은 독재 국가가 되었소!
습속이나 생활 양식은 또 다른 습속이나 생활 양식으로 바꾸는 편이 효과적이야.
군주가 국민에게 큰 변화를 일으키고자 한다면
법에 의한 것은 법으로 개혁하고,
법
법
습속이나 생활 양식은 다른 습속과 생활 양식의 힘을 빌려 개혁하는 것이 좋다는 말이지.
습속
생활 양식

러시아의 황제 표트르 1세는 수염과 옷을 자르라는 법을 제정했어.
옷의 길이가 이 정도는 돼야지.
도시에 들어가는 사람들은 옷을 무릎까지 자르도록 법으로 명시했지.
이건 좀…. 이상하지 않나?
좋기만 하네.
국민들은 이러한 황제의 행동을 폭정이라고 여겼어.
군주나 정부가 범죄를 방지하기 위해서는 형벌 제도를 활용하는 것이 좋아.
그렇지만 수염과 옷의 길이처럼 습속이나 생활 양식을 변경하기 위해서는 형벌 제도를 활용하는 것보다 모범을 보여서 바꾸는 것이 훨씬 좋은 방법이야.
자! 나를 따라해 보세요.
대표적인 예로 중국의 상앙(商鞅, 기원전 395년~기원전 338년)을 들 수 있어.
그는 동양 최초로 노비 제도의 폐지를 주장한 뛰어난 학자이자 정치가로
오늘부터 너에게 자유를 주노라.
작은 진나라를 강대국으로 만든 사람이야.
진나라
당시 진나라 국민들은 정부에서 하는 일에 의심이 많았어.
진나라
저 안에서 다들 뭐 하는 걸까?
그러게?
그동안 정부의 관리들이 법령만 내세웠지 실제로는 그 법령을 잘 지키지 않았기 때문이야.
법령

그래서 상앙은 정부의 법령을 믿도록 하기 위해 상징적인 사건을 만들었어.
사건
상앙은 남문에 나무 기둥을 세워 둔 후에 이런 말을 했어.
이 기둥을 북문으로 옮기는 사람에게는 금 10냥을 상으로 준다.
웃기시네, 고작 기둥을 북문으로 옮긴다고 금을 10냥이나 준다고? 나는 안 믿어.
상금을 올리겠다. 이 기둥을 북문으로 옮기는 사람에게는 금 50냥을 준다.
할 일도 없고 심심한데 이 기둥이나 옮겨 볼까?
저 친구 정말 할 일이 없나 보네, 정부의 말을 믿고 기둥을 옮기다니. 쯧쯧.
이 보시게. 여기 와서 금 50냥을 받아 가게나!
아니 정부의 말이 사실이었네! 이럴 줄 알았으면 내가 할 걸!
이런 일이 있은 후 진나라의 백성들의 마음은 서서히 정부의 말과 법령을 믿게 되었지.
내 말 알겠지? 꼭 해 줄게.
네. 열심히 할게요.
그 덕분에 상앙의 개혁 정책은 성공했고, 진나라는 강대한 국가가 되었어.
진나라

일반적으로 국민은 습속과 생활 양식에 강한 집착을 가져.
습속
생활양식
국민으로부터 습속과 생활 양식을 난폭하게 빼앗으면 국민들은 불행해지기 마련이야.
습속
생활 양식
그러므로 군주나 정부는 습속과 생활 양식을 강제로 변경하려들지 말고
습속
이딴거 이제 필요없어.
국민 스스로 바꾸도록 권장하는 편이 훨씬 좋아.
내일 고향에 내려갈 건가?
바쁜데 어쩌지? 이런 날은 없었으면 좋겠는데.
국민의 입장에서 필요한 형벌이 아니라면 대부분의 형벌은 폭정에 의한 것이라고 할 수 있어.
법은 국민의 습득, 생활 양식의 형성에 어떻게 공헌하는가?
몽테스키외는 풍토가 국민의 법과 습속, 그리고 생활 양식을 만들어내는 데 기여한다고 주장했어.
습속
생활양식
또한 국민의 습속과 생활 양식도 법에 큰 영향을 미친다고 했어.
습속
생활양식
법
국가에는 입법권과 집행권이라는두 가지 권력이 있어.
입법권
집행권
국가
국민은 개개인의 생각과 성향에 따라 이 두 가지 권력 중에서 한쪽의 권력에 좀 더 많은 애착을 가져.
입법권
집행권

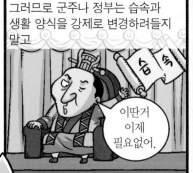

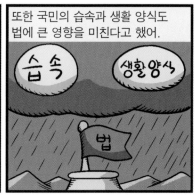

먼저 집행권에 대해 생각해 볼까?
집행권
모든 관직을 손에 쥐고 있는 집행권은 국민들에게 큰 희망을 주려고 노력해.
집행권
집행권으로 이익을 얻는 자는 모두 그쪽에 관심을 갖게 될 거야.
집행권
반면에 집행권으로부터 이익을 얻을 수 없는 자들은 집행권을 공격하지.
집행권
오늘날 정권(집행권)을 잡은 여당과 야당을 비교해 보면 쉽게 이해할 수 있을 거야.
집행권을 가지고 있는 여당은 국민들에게 좋은 이야기를 하며 희망을 주려고 노력해.
그래야 우리가 계속 집행권(정권)을 가질 수 있어!
반면에 집행권이 없는 야당은 수시로 여당을 공격해.
흠집을 계속 내야 다음에 우리들이 집행권(정권)을 가질 수 있단 말이야!
무서워서 뭘 못 하겠어….
그러므로 둘은 계속 반복하지.
여당
야당
넌 도저히 좋아할 수 없는 놈이야!
흥! 너도 마찬가지야.

민주정체에서 당은 자유인으로 구성되어 있어.
자유
한쪽 당이 너무 우세해지면 다른 쪽 당은 당연히 약화되기 마련이야.
그러면 국민들은 쓰러지는 몸을 일으켜 세우듯이 약한 쪽을 일으켜 세우려고 할 거야.
그들은 자신의 뜻과 호기심에 따라서 때때로 지지하는 당을 바꿀 거야.
너희들한테 실망했어.
왜 그래!? 우리가 뭘 잘못했어?
야당
원래 지지하던 당을 떠나, 그 당에서 함께했던 벗에 등을 돌리고
저런 배신자 같으니!
여당
자기의 적이 있는 다른 당을 지지하고, 그 당을 지지하던 이들과 결합하는 일도 있을 거야.
여당
잘 왔네~. 이제 우린 한 배를 탄 거야.
이번에는 입법권에 대해 알아볼까?
입법권
자유로운 국민은 지혜로운 지도자를 가지지만
지혜
예속된 국민은 압제자를 가질 따름이야.
자유를 향유하기 위해서는 각자가 생각하는 바를 공개할 수 있어야 하고,
여러분의 의견을 들어 보겠습니다.
자유를 유지, 보존하기 위해서도 각자가 생각하는 바를 서로 이야기 할 수 있어야 해.
그 생각에 반대합니다.
음…. 그럴 수도 있겠군.

그러므로 민주정체의 국민은 법률이 그에게 금지하지 않는 모든 사항을 말하거나 쓸 수 있어.
민주정체의 국민은 자유에 대해 놀라운 사랑을 나타낼 거야.
왜냐하면 자유는 진실하기 때문이지.
자유를 지키기 위해서 국민은 자신의 재산과 안락과 이익을 희생하고,
가라앉는다. 물건 다 버려.
전제군주라 할지라도 신민에게 감히 부담시키기 어려울 정도의 많은 세금도 자유를 위해서라면 기꺼이 부담하지.
자유와 법에 의해 안락하게 사는 국민은 상업에 적극적으로 참여해.
이번 물품들은 최상급입니다. 후회 안 할 거예요.
만일 어떤 국민이 좋은 풍토에서 자란 많은 양의 산물을 갖고 있다면,
상대적으로 풍토가 열악하여 산물이 부족한 여러 민족과 필연적으로 대규모 무역을 할 거야.
그리고 무역 상대국과 조약을 맺게 될 거야.

만약 이들 나라에서 아주 멀리 떨어진 곳에 국민을 보낸다면
이는 지배권 때문이 아니라 통상을 확대시키기 위해서일 거야.
저희 물건이 좋으니 우리와 거래하시죠?
사람들은 자국의 제도를 다른 곳에도 심고 싶어 해.
우리나라 제도 한 번 써 봐.
제도
우리 제도도 좋아. 필요 없어.
그래서 식민지의 백성에게 자국의 정체를 적용하려고 노력해.
시키는 대로 하겠습니다.
이 정체가 가는 곳에는 번영이 뒤따를 것이며 많은 국민이 모여들 거야.
정체
정복당한 국가는 이전보다 좋은 통치 형태를 가질 수도 있지만 만민법에 의해 압제당할 수도 있어.
피정복 국가의 국민에게는 여러 가지 법이 적용되는데,
법
이 법은 피정복 국가의 일시적인 번영에 도움이 될 뿐이야.
결국에는 주인인 정복 국가를 위하는 법이기 때문이지.
모든 사람에게 참정권과 정치적 흥미를 불러일으키는 풍토의 나라가 있다고 생각해 보자.
국민들은 정치에 관해서 많은 이야기를 나눌 거야.

자유로운 나라에서는 국민들이 제각각 다른 생각을 가지고 있어.
서로 자신의 생각이 옳다고 시비를 따지는 일을 자주 하지.
넌 답답해서 말이 안 통해!
쳇! 알지도 못하면서 잘난 체하긴….
자유가 이런 토론의 결과를 보장해 주는 거야.
반면 전제정체에서는 사람들의 토론은 내용이 좋든 나쁘든 결과적으로 모두에게 해로운 일이 돼.
전제정
사람들이 정체의 원리에 대해 따지는 것만으로도 정부는 큰 타격을 받기 때문이야.
전제정
원리
원리
극도로 전제적인 정체의 역사가는 진리를 배반해.
진리
휴지통
그들은 진리를 말할 자유마저 상실했기 때문이야.
자유
극단적으로 자유로운 국가에서도 자유 그 자체 때문에 진리를 배반해.
마음대로 나라를 운영하는 왕은 물러가라!
자유는 항상 분열을 가져오지!
마치 전제군주의 노예가 되는 것처럼 자기 당파의 편견의 노예가 되기 때문이야.
OO당
OO당

상앙의 변법과 진나라의 중국 통일

중국 최고의 개혁 정치가 상앙

기원전 7세기에 중국에는 진이라는 나라가 있었습니다. 진나라의 군주 목공(穆公)은 외부 인재를 적극 영입하여 나라를 부강하게 만들었습니다. 하지만 그의 뒤를 이은 군주들은 변변치 못해 신하들에게 휘둘리고 내부의 난이 자주 발생하여 나라가 위태로웠습니다. 그러다가 기원전 4세기 효공 때 진나라는 다시 부흥의 기회를 잡습니다. 이때 효공을 도와 진나라를 부흥시킨 인물이 바로 상앙입니다. 상앙은 원래 위(魏)나라 사람이었으나 진나라의 효공이 인재를 널리 구한다는 이야기를 듣고 그를 찾아가 재상이 되었지요. 상앙은 효공의 적극적인 지원을 받아 법가(法家) 사상에 바탕을 둔 여러 가지 개혁 정책을 실행했습니다. 상앙은' 지혜로운 자는 법을 만들고 우매한 자는 그것에 제약된다.'라는 말로 국가 부강을 위해서는 반드시 변법의 필요성을 강조했습니다. 변법의 핵심은 옛 제도의 혁신, 즉 변고(變古)에 있었고 그는 이를 위해 강력한 법(法)을 제정하여 나라를 다스렸습니다. 그가 백성들에게 법에 바탕을 둔 개혁정책에 대한 믿음을 주기 위해 했던 일은 유명한 일화로 내용을 간단히 정리하면 다음과 같습니다.

상앙의 초상화

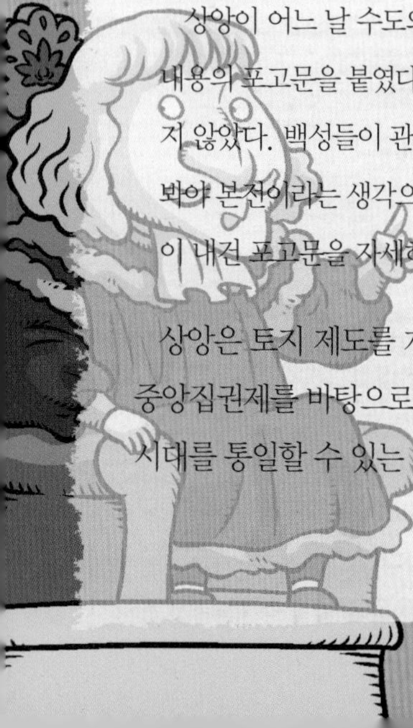

상앙이 어느 날 수도의 남문에 나무를 심어 놓고 이 나무를 옮기는 자에게 금 50근의 포상을 하겠다는 내용의 포고문을 붙였다. 백성들은 나무 하나를 옮기는데 나라에서 엄청나게 많은 돈을 주겠다고 하자 믿지 않았다. 백성들이 관심을 보이지 않자 상앙은 포상금을 금 100근으로 올렸다. 그때 어떤 사람이 밑져봐야 본전이라는 생각으로 이 일을 했다. 상앙은 그 즉시 그에게 약속한 상을 내렸다. 이후 백성들은 상앙이 내건 포고문을 자세히 읽고 그 포고문을 앞장서서 수행했다.

상앙은 토지 제도를 개혁하고 군현제를 시행했으며 세금과 법을 정비했습니다. 진나라는 강력한 중앙집권제를 바탕으로 전국시대 전국 칠웅 중에서 가장 부강한 나라가 되었으며 혼란스러운 전국시대를 통일할 수 있는 기반을 닦았습니다.

상앙의 변법(變法)

- 노예 제도의 폐지: 지주들에 속해 있는 노예들을 해방시켜 양인으로 만들었습니다. 이로 인해 지주들의 세력을 약화시켰고, 양인들로부터 세금을 거두어 나라의 재원을 확충했습니다.
- 강력한 중농정책: 상업을 악업으로 여기고 강력하게 탄압했습니다. 대신 농업을 집중적으로 장려하였는데 생산량을 늘린 사람들은 병역을 면제해 주기도 했습니다. 농업이 발달한 후에는 상업 활동을 풀어 주어 균형 있는 발전을 꾀하였습니다.
- 십오제(什伍制): 다섯 가구 또는 열 가구를 하나의 단위로 묶어서 서로 감시하는 체제를 만들고 납세와 징병의 단위로 삼았습니다. 한 집에서 죄를 지으면 나머지 집들도 함께 책임을 무는 연좌제를 시행했습니다.
- 군공수작제: 전쟁을 일어났을 때 백성들의 적극적인 참여를 유도하기 위해서 누구라도 전쟁터에서 공을 세우면 그에 마땅한 작위를 주었고, 반대로 귀족이라도 공을 세우지 못하면 벌을 주어 귀족의 대접을 받지 못하게 했습니다다.
- 악습의 타파: 예부터 내려오던 잘못된 인습이나 전통을 타파하여 백성들의 의식을 높였습니다.

진시황제의 중국 통일

진시황제는 중국을 진(秦)이라는 하나의 거대한 나라로 통일시킨 황제입니다. 만약에 그가 없었다면 중국은 오늘날 수십 개의 작은 나라로 나뉘어져 있을 지도 모릅니다. 이러한 이유로 중국인들은 진시황제가 폭압적인 통치를 하고 많은 사람들을 죽였어도 영웅으로 크게 우러러 봅니다. 진시황제는 중국을 통일한 후에 여러 가지 개혁 정책을 추진했습니다. 화폐를 통일시켰고 도량형을 통일시켰고, 문자를 통일시켰습니다. 그리고 전국을 군현제로 묶어서 강력한 중앙집권적인 행정을 했습니다. 진시황제의 군현제는 중국에서 약 2천 년 동안 시행되었습니다.

그런데 진시황제의 개혁 정책은 순전히 그의 머리에서 나온 것이 아닙니다. 기원전 4세기 무렵에 이를 앞서서 시행한 위대한 정치 개혁가가 있었지요. 그가 바로 상앙입니다. 상앙이 없었다면 진시황제는 영토를 통일할 수는 있었지만 중국을 진정한 통일국가로 만들 수 없었을 겁니다. 그렇다면 오늘날의 중국이라는 큰 나라도 존재하지 않았을 지도 모릅니다.

10장

상업 및 화폐와 법

상업의 정신과 국가의 정체

평화
상업을 하면 여러 가지 이득을 얻을 수 있는데 그중의 하나가 평화야.

상업 거래를 열심히 하는 두 나라의 국민은 서로 의존하게 돼.
이번에 좋은 물건 많이 가져왔습니다.
우리는 친구야! We are the World!

한쪽이 사는 것으로 이익을 얻을 때,
드디어 갖고 싶은 책을 샀다!

다른 쪽은 파는 것으로 이익을 얻기 때문이지.
이 정도면 비싸게 팔았어.

모든 상업적인 활동은 서로의 욕망을 기초로 이루어져.

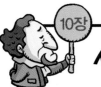

상업의 정신은 여러 국민을 결합시키는 데 영향을 미쳐.
우리 좋은 친구가 될 수 있을 것 같죠?
상업 정신이 충만한 나라에서는 인간의 모든 행위와 도덕적 덕성까지 거래 대상이 돼.
상업 정신은 사람들 마음속에 있는 착실한 정의감을 끌어내지.
싸게 드리는 겁니다.
저도 현찰을 준비했습니다.
이 감정은 사람들의 약탈 행위에 대항하고,
좋은 말 할 때 내 놔!
자기 이익을 엄밀하게 따지기보다 타인의 이익을 위해 자신의 이익을 무시하는 도덕적인 덕성을 갖도록 해.
이건 덤으로 드릴게요.
감사합니다.
한편, 상업은 국가 구조, 즉 정체와 밀접한 관계를 가져.
상업
정체
1인 통치의 정체에서 상업은 사치를 바탕으로 이루어지는 경우가 많아.
상업 활동을 하는 국민들의 안락한 생활, 쾌락, 호기심 충족에 도움이 되지.

반면 여러 사람이 통치하는 정체에서는 검소함이 사업의 중요한 덕목이 돼.
이번에는 물품을 아껴서 풀어야겠군!
무역업자는 A국의 국민에게서 얻은 것을 B국의 국민에게 공급해.
이런 활동에서는 이익이 적게 발생해.
이거 기름 값이나 남을까 몰라….
무역업자들은 당장의 상업적 이익이 적더라도 오랜 거래를 통해 이익을 얻지.
물량을 조금 더 넣었습니다.
고맙습니다. 항상 신경 써 주시네요.
이런 종류의 거래는 그 성질상 여러 사람이 통치하는 정체에서 활발하게 일어나.
1인 통치의 군주정체에서는 우연히 가끔 일어날 뿐이야.
상업 활동의 목적이 다르기 때문이야.
어떤 군주국에서 상업 활동을 열심히 하는 다른 나라를 약화시키기 위해 법을 제정했어.
그들은 법으로 자기 나라에서 산출한 상품 이외의 것을 수입하는 것을 금지했지.
금지

또한 상품을 운반해 오는 나라에서 제조한 선박만 이용해서 무역하도록 했어.
이런 법을 강제로 시행하는 국가는 스스로 어렵지 않게 무역을 할 수 있는 능력이 있어야 해.
그렇지 않으면 그 나라는 그 법으로 얻는 이익만큼 손해를 볼 거야.
국민은 결격 사유가 없는 한 무역 활동에서 배제되어서는 안 돼.
넌, 저번에도 세금 안 냈잖아. 장사 금지야!
잘못했어요. 한 번만 봐주세요.
또한 어떤 국가에서는 일정한 가격으로 상품을 모두 사 줄 테니 자기 나라에만 상품을 팔아 달라는 제안을 하는데 거절하는 게 좋아.
앞으로 우리하고만 거래합시다.
그건 곤란합니다.
예를 들어 볼까? 인도의 많은 왕들은 네덜란드와 향료 무역을 할 때 앞에서 말한 것과 비슷한 종류의 계약을 맺었어.
당신 나라에서 나는 향료는 우리가 모두 수입할 테니 꼭 그렇게 해 주시오.
네. 돈만 주세요.
생활 필수품만 얻을 수 있다면 부유하게 될 희망을 버려도 괜찮다고 생각하는 가난한 나라라면 이러한 협약은 언제든지 체결될 수 있어.
배고파. 먹고 살 수만 있게 해 줘.
하지만 이들은 불리한 무역으로 인해 점점 경제적으로 예속 상태에 빠지게 될 거야.

몽테스키외는 원칙적으로 무역업자들에게 통상의 자유를 주어야 한다고 생각해.
통상의 자유는 무역업자 자신이 원하는 대로 하라는 권리는 아닙니다. 무역업자가 자기 마음대로 통상을 하면 오히려 예속되는 경우가 생길 수도 있기 때문이지요.
반면에 엄격한 법의 제한도 함께 받아야 한다고 생각해.
법
무역업에 종사하는 상인을 속박하는 것이 곧 통상을 속박하는 것은 아닙니다.
무역 상인이 수많은 제한에 봉착하는 것은 오히려 자유로운 나라들의 경우입니다.
자유
그들은 자유롭지 못한 국가에서보다 엄격하고 다양한 법에 의해 감시를 받아야 합니다.
예를 들어 영국은 양모의 수출을 금지하고, 석탄을 선박으로만 수도에 운반하도록 규정하고 있습니다.
또한 거세하지 않은 말은 수출을 못 하도록 했습니다.
나도 외국에 가 보고 싶어….
게다가 유럽에서 통상하는 식민지의 선박은 반드시 영국의 항구에 닻을 내리도록 했습니다.
영국이 이처럼 무역 상인을 속박하는 것은 국가의 통상 이익을 위해서입니다.

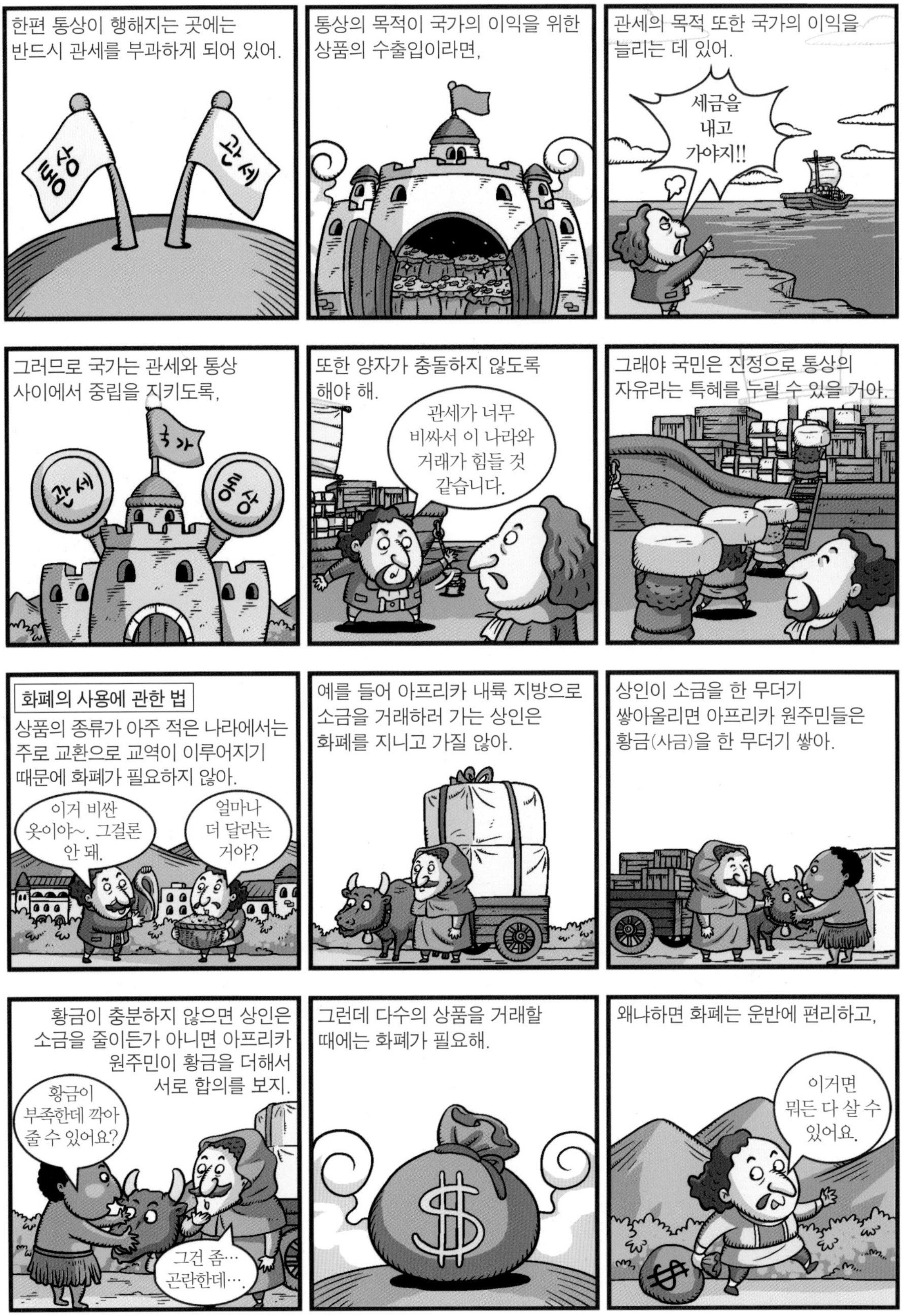

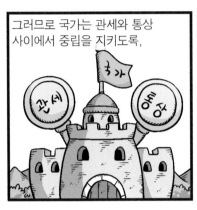

한편 통상이 행해지는 곳에는 반드시 관세를 부과하게 되어 있어.
통상
관세
통상의 목적이 국가의 이익을 위한 상품의 수출입이라면,
관세의 목적 또한 국가의 이익을 늘리는 데 있어.
세금을 내고 가야지!!
그러므로 국가는 관세와 통상 사이에서 중립을 지키도록,
국가
관세
통상
또한 양자가 충돌하지 않도록 해야 해.
관세가 너무 비싸서 이 나라와 거래가 힘들 것 같습니다.
그래야 국민은 진정으로 통상의 자유라는 특혜를 누릴 수 있을 거야.
화폐의 사용에 관한 법
상품의 종류가 아주 적은 나라에서는 주로 교환으로 교역이 이루어지기 때문에 화폐가 필요하지 않아.
이거 비싼 옷이야~. 그걸론 안 돼.
얼마나 더 달라는 거야?
예를 들어 아프리카 내륙 지방으로 소금을 거래하러 가는 상인은 화폐를 지니고 가질 않아.
상인이 소금을 한 무더기 쌓아올리면 아프리카 원주민들은 황금(사금)을 한 무더기 쌓아.
황금이 충분하지 않으면 상인은 소금을 줄이든가 아니면 아프리카 원주민이 황금을 더해서 서로 합의를 보지.
황금이 부족한데 깍아 줄 수 있어요?
그건 좀… 곤란한데….
그런데 다수의 상품을 거래할 때에는 화폐가 필요해.
왜냐하면 화폐는 운반에 편리하고,
이거면 뭐든 다 살 수 있어요.

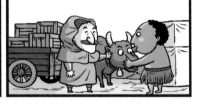

거래에 드는 비용도 절약되기 때문이야.
이 말로 선택할게요.
네. 싸게 사신 겁니다.
화폐는 모든 상품의 가치를 대표하는 표징*이라고 할 수 있어.
* 표징(表徵) : 겉으로 드러나는 특징이나 상징.
고대의 아테네 인은 소를 화폐로 사용했어.
로마 인은 암양을 화폐로 사용했지.
그렇지만 한 마리의 소와 암양은 다른 한 마리의 소와 암양과 같은 것이 아니었지.
쌍둥이?
그래서 귀금속을 화폐로 사용하기 시작했어.
귀금속은 쉽게 닳거나 파괴되는 일 없이 오래 사용하기에 좋기 때문이야.
또한 부피가 작아 운반도 편하지.
옆 동네 가서 쌀 좀 사야지.
화폐에는 현실 화폐와 관념 화폐, 두 가지가 있어.
현실화폐
관념화폐
문명 국가의 국민들은 대부분 관념 화폐를 사용하고 있어.
관념화폐
그것은 사람들이 현실 화폐를 관념 화폐로 전환시켰기 때문이야.
관념화폐
처음에 그들도 귀금속으로 만든 현실 화폐를 사용했어.
전에 빌린 거 갚아야지! 잘 썼네.

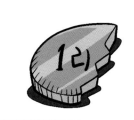

현실 화폐는 같은 종류, 같은 무게로 된 귀금속으로 만들었지.
그런데 시간이 지날수록 귀금속은 모서리의 일부분이 깎여나갔고,
어떤 것은 무게도 크게 줄었어.
이게~ 이게 뭐야….
하지만 여전히 그 화폐는 같은 가치를 지녔지.
이를테면 무게 1리브르(프랑스의 옛 화폐 단위, 약 500그램의 은에 해당함.)의 은화에서
1리브르
은의 절반을 깎아내도 그 화폐는 여전히 1리브르라고 불렸어.
1리
이 경우 1리브르는 관념적인 화폐일 수밖에 없어.
관념적 화폐
1리
상업의 번영을 위해 모든 나라에서 현실적 화폐를 사용하고
현실적 화폐
현실적 화폐
현실적 화폐
현실적 화폐
그것을 관념적으로 만드는 온갖 행위를 금하는 법을 만들 필요가 있어.
그래야 화폐로 인한 폐해를 원천적으로 근절할 수 있기 때문이야.
법
상업에서 화폐는 모든 것의 공통적인 척도라고 할 수 있어.

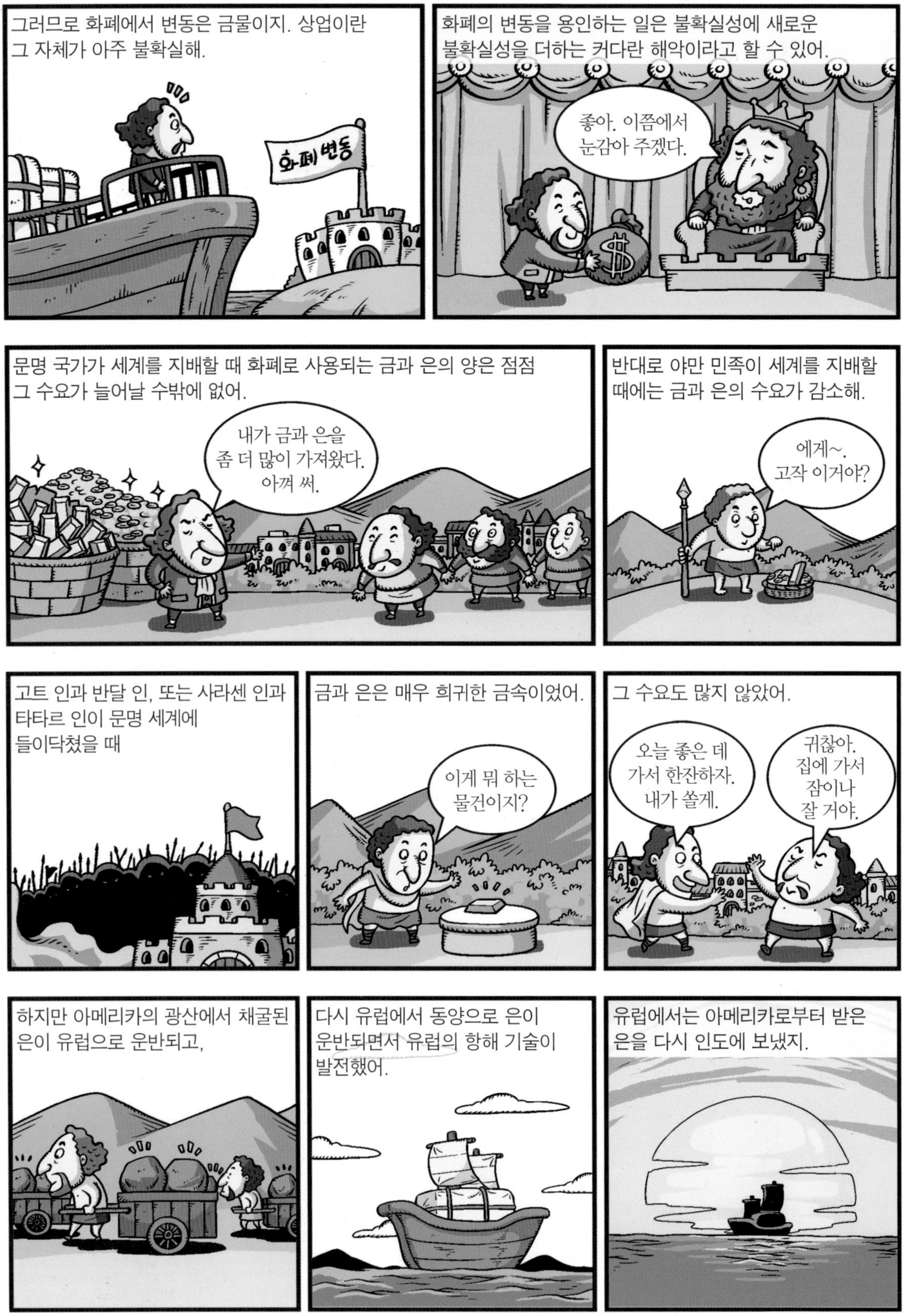
그러므로 화폐에서 변동은 금물이지. 상업이란 그 자체가 아주 불확실해.
화폐 변동
화폐의 변동을 용인하는 일은 불확실성에 새로운 불확실성을 더하는 커다란 해악이라고 할 수 있어.
좋아. 이쯤에서 눈감아 주겠다.
$
문명 국가가 세계를 지배할 때 화폐로 사용되는 금과 은의 양은 점점 그 수요가 늘어날 수밖에 없어.
내가 금과 은을 좀 더 많이 가져왔다. 아껴 써.
반대로 야만 민족이 세계를 지배할 때에는 금과 은의 수요가 감소해.
에게~. 고작 이거야?
고트 인과 반달 인, 또는 사라센 인과 타타르 인이 문명 세계에 들이닥쳤을 때
금과 은은 매우 희귀한 금속이었어.
이게 뭐 하는 물건이지?
그 수요도 많지 않았어.
오늘 좋은 데 가서 한잔하자. 내가 쏠게.
귀찮아. 집에 가서 잠이나 잘 거야.
하지만 아메리카의 광산에서 채굴된 은이 유럽으로 운반되고,
다시 유럽에서 동양으로 은이 운반되면서 유럽의 항해 기술이 발전했어.
유럽에서는 아메리카로부터 받은 은을 다시 인도에 보냈지.

금과 은을 상품으로 간주한다면 보다 많은 양을 갖는 게 교역에 유리하지만
화폐로 간주한다면 많은 양을 가지고 있는 게 결코 유리하지 않아.
금과 은이 화폐로서 가치를 지니려면 희소성이 있어야 하기 때문이야.
에스파냐가 서인도 제도를 정복하자 원래 10%였던 이자가 5%로 줄었어.
10M
5M
이자
이렇게 되는 것은 당연했어.
대량의 은이 갑자기 유럽으로 유입되어 은의 수요가 줄었기 때문이야.
그러자 모든 물건의 가격이 오르고 은의 가격은 하락했지.
그리하여 금융의 균형이 깨지자 이자가 줄 수밖에 없었던 거야.
은
물건
금융
환(換)이라는 것은 멀리 있는 채권자에게 현금 대신 어음이나 증서 등을 보내 결제하는 방식을 말해.
환의 시세를 결정하는 것은 각 나라의 화폐 가치야.

환은 화폐의 현실적이고 일시적인 가치를 나타낸다고 할 수 있어.
어음
각 나라의 화폐는 다른 나라의 화폐와 비교될 수밖에 없으므로 그 가치가 상대적이야.
화폐
우리 화폐는 왜 이리 작은 거야….
화폐
환시세가 정하는 것은 이 상대적 가치야.
어음
어음
상대적 가치는 실정적인 가치에 크게 의존해.
그것은 상인들의 일반적인 평가에 의해 결정될 뿐 군주의 명령에 의해서 정해질 수 없어.
우리 나라는 화폐 가치가 너무 낮아. 좀 올리도록 해.
그러다간 우린 굶어 죽습니다.
화폐의 가치는 아주 많은 요인들에 의해 끊임없이 변동하기 때문이야.
지뢰
지뢰
지뢰
지뢰
지뢰
이 상대적 가치는 은을 가장 많이 가진 나라를 기준으로 정해.
기준!
이 나라의 화폐를 기준으로 자국의 통화를 조절하는 것이 가장 현명한 방법이야.
너무 차이가 나는데?
남에게 금전을 무이자로 빌려 주는 것이 훌륭한 행위인 것만은 확실해.
부담 갖지 말고 쓰고 돌려주세요.
정말요? 감사합니다.
그러나 그것은 종교상의 권유에 불과하며 시민법에서는 결코 있을 수 없는 일이야.
이자도 안 낸다고? 말도 안 되는 소리!
시민법
금전에 대가를 가져야 하는 이유는 상업을 활발하게 하기 위해서야.

그러나 이자가 너무 많다면 상인은 거래로 이득을 얻기보다는
이 정도 이자면 조금 받은 거야.
이자
한 달 동안 장사한 게 고작 이거야?
$
금리에 비용이 더 들어간다는 것을 깨닫고 아무 일도 하지 않을 거야.
자네, 요즘 돈 벌러 안 가?
남는 것도 없는데 뭐하러 가?
그런데 금전이 대가를 갖지 않을 경우,
이자 없이 빌려 주면 안 될까?
즉 이자를 받지 못할 경우에도 역시 상인은 아무 일도 꾀하지 않아.
귀찮아. 건들지 마.
아무도 돈을 빌려 주려 하지 않기 때문이지.
미쳤나? 이자도 안 주는데 내가 왜 돈을 빌려 줘?
고대 그리스의 철학자 아리스토텔레스는 '화폐는 화폐를 낳지 않는다'는 말을 한 적이 있어.
아리스토텔레스의 철학을 많이 받아들인 중세의 기독교는 이 말을 존중하여 돈을 빌려 주고 이자 받는 일을 금지시켰어.
사랑의 마음으로 어려운 사람을 도와야지 더 어렵게 하면 안 되지!
잘못했어요.
그러자 아무도 돈을 빌려 주지 않게 되었고 상업 활동은 혼란에 빠졌지.
저 배 좀 빌리자니까요.
공짜로 빌려 달라는 거야? 순 날강도 아냐!
그래서 나중에는 금리를 받도록 허용했어.
자, 싼 이자에 돈 빌려 드립니다.
$ $ $

옛날 로마에서 집정자들은 시민들의 지지를 얻기 위해 시민들이 원하는 방향으로 정책을 세우고, 법을 제정했어.
법
로마의 집정자들은 빚의 일부를 줄여 주고,
살기 좋은 로마가 됩시다.
이자를 줄여 주고,
다음 달부터는 이거 반만 가져오도록 해.
빚을 진 사람을 강제로 구금하는 일을 금지시키는 법을 만들었어.
이제 법이 바뀌었어. 집에 가도 돼!
정말요?
호민관이 인기를 얻으려고 할 때마다 채무를 폐기시키는 일을 제일 먼저 들고 나왔지.
채무감면
법과 국민 투표에 의해서 빚을 탕감하고 이자를 줄여 주는 일이 일상화되었어.
참, 살기 좋은 세상이 되었어.
그러게. 내일도 돈 좀 빌리러 가야지.
그러자 이자가 점점 올라가는 부작용이 발생했어.
그 정도론 안 돼. 이거 두 배 가져와.
돈을 빌려 주는 채권자가 돈을 빌려 가는 채무자, 즉 일반 시민들을 신용하지 않았기 때문이야.
내가 당신을 뭘 믿고 돈을 빌려 줘?
갑자기 이러면 어떡해요.

채무자인 시민이 바로 입법자이며 집정자들의
재판관임을 깨달았기 때문이야.
재판관
입법자
덕분에 신용을 잃은 시민들은 돈을 빌리기가 아주
어려워졌어.
돈 빌려드림
채권자들은 언제 돈을 받을지
모르므로 이자를 아주 높였어.
이자를 이 이하로 깎아줄 순 없어.
채권자
당시 로마에서는 금리가 35%에
이르렀고,
35%
주변 속주의 금리는 무려
45%에 이르렀다고 해.
45% 인상
올랐어. 더 가져와!
극단적인 선의 입장에서 만든 법은 오히려 극단적인 악을 낳을 수 있어.
시민들의 빚을 줄여 주려고 만든 법인데.
금리
돈을 빌려 주는 사람은 돈을 빌려 주고도 법의 심판을
받을 위험이 생기자,
전, 돈을 빌려 준 죄밖에 없어요.
그게 죄야.
그 위험에 대한 대가로 높은 금리를 요구한 셈이 되었어.
돈 빌려드림.
아무리 위험하다 해도 이자가 이렇게 높은 건 말이 안 되잖아.

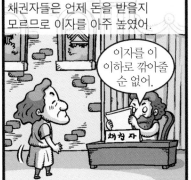

로마는 처음에 금리의 비율을 규정하는 법이 없었어.
법
로마 시민들은 개인적으로 협정을 맺어 금리를 정했는데, 보편적인 금리가 12%였어.
조금만 깎아 주세요.
안 돼. 12% 이하는 손해야.
이것도 매우 센 이율*이었어.
12%
이 정도로 센 이율이 성립될 수 있었던 것은 전쟁 때문이었어.

* 2013년 주택 대출 이율은 평균 5% 안팎이다.

당시 로마 시민은 보수도 받지 못한 채 자주 전쟁터에 끌려 나갔으므로 돈을 자주 빌려야 했어.
하지만 전쟁에서 승리하면 전리품을 챙길 수 있었으므로 빌린 돈과 이자를 갚는 일이 어렵지 않았지.
만약에 돈을 빌리는 사람들이 12%의 금리가 너무 세다고 진지하게 말하거나, 돈을 빌려 주는 사람들이 탐욕을 부리지 않았다면 좀 더 낮은 이율로 돈을 빌리고 빌려 주었을 거야.
정말 힘들어서 그래요. 싸게 빌려 주세요.
잠깐 생각 좀 해 봅시다.

사람들은 일반적으로 일이 눈앞에 닥칠 때만 해결의 방안을 찾아.
헉~ 어떡하지? 길이 끊겨 있어!
로마 시민들도 그랬지. 빚을 변제하는 일이 코앞으로 다가오자 법을 제정했어.
자자, 서둘러서 좋은 의견을 내보시오. 급해요!
몹시 빈곤한 자는 식민지로 보낸다는 법을 만든 거야.
우린 집에 돌아가도 아무 문제 없다. 열심히 싸우도록 하라!
채무 때문에 갇힌 자는 석방했어.
석방! 집에 가도 좋다.
정말요?
지지해야 할 전쟁에 종군하는 사람들은 채권자에 의해 소추되지 않고,
원로원은 필요에 따라 의결하여 시민에게 돈 빌리는 것을 허가했어.
이번 한 번만 봐주는 거야.
그러나 원로원 의결은 권위를 상실했어.
원로원의 의결은 국민에게 새로운 법을 요구할 기회를 줄 수 있었기 때문이야.
당장 법 하나 추가해 주세요.
이는 원금 상실의 위험을 증대시켰고, 나아가 금리를 한층 인상시켰어.
원금상실
나는 항상 사람을 다스리는 것은 중용이지 극단이 아니라고 생각합니다. '가장 늦게 지불하는 자가 가장 적게 지불한다.'고 말한 울피아누스가 생각나는군요.

화폐의 발달

화폐는 사물의 가치를 나타내는 척도로 흔히 돈이라고 불리지요. 화폐가 있으므로 타인과 상품의 교환이 활발히 일어날 수 있고 개인의 재산 축적이 가능합니다. 그래서 오늘날 모든 경제 활동은 화폐를 중심으로 일어납니다. 인간이 가장 처음 사용했던 화폐는 자연 화폐입니다. 자연 화폐를 시작으로 금속 화폐, 신용 화폐 등으로 발달했으며 오늘날에는 가상 화폐까지 등장하게 되었답니다.

태평양의 미크로네시아 연방의 옛 원주민들이 사용했던 돌 화폐

자연 화폐

처음으로 화폐 역할을 한 것은 자연에서 생산되던 것들이었습니다. 시대와 지역에 따라 재료가 달랐습니다. 대표적인 것으로는 돌과 조개껍데기, 가축, 금속, 옷감, 곡물 등을 들 수 있지요.

- 돌: 돌이 풍부한 태평양의 화산섬에 살았던 원주민들은 가운데에 구멍이 뚫린 둥근 형태의 돌을 화폐로 사용했는데 큰 것은 지름이 약 4m에 이르렀다고 합니다. 당시 돌 화폐의 가치는 크기뿐만 아니라 얼마나 오래된 것인가에 달렸다고 합니다.
- 금속: 생활에 필요한 도구를 만들기 위해서는 단단한 금속이 필요했습니다. 질이 좋은 금속이 있으면 도구를 만들어 생산성을 높일 수 있으므로 많은 인간들이 금속을 필요로 했습니다. 그러므로 금속은 물건을 교환할 수 있는 화폐가 되었습니다.
- 옷감: 옷을 만드는 데 필요한 동물의 가죽이나 베는 모든 사람에게 필요했습니다. 특히 옷은 사회적 지위를 나타내는 중요한 척도가 되었습니다. 이로 인해 옷감도 물건을 교환하는 중요한 화폐가 되었습니다.

금속 화폐

자연 화폐는 부피가 크고 무거워서 이동하거나 보관하는 데 어려움이 많았습니다. 곡물과 같은 자연 화폐는 변질이 되므로 장기간 보관하기 어려운 단점이 있었습니다. 그래서 사용하기 시작한 것이 적당한 크기로 자른 금속 덩어리였습니다. 처음에는 금속 덩어리를 저울에 달아서 일정한 무게로 잘라서 사용했는데 이를 칭량 화폐라고 합니다. 대표적인 것이 청동으로 만든 칼 모양의 금속인 명도전(明刀錢)입니다. 약 2,500년 전에 고조선에서 사용했던 금속 화폐입니다. 명도전이라는 이름은 표면에 명(明)자가 새겨져 있기 때문에 얻은 이름입니다.

명도전

신용 화폐

금화나 은화 같은 주조 금속 화폐도 단점이 있었습니다. 금이나 은과 같은 귀금속은 연간 생산량이 일정하여 많은 양의 주조 화폐를 만드는 데에 한계가 있었습니다. 양이 많아지면 무거워서 휴대하기도 불편했습니다. 재료가 부족하여 주조 화폐를 많이 만들지 못할 때는 액면가보다 동전의 실제 가치가 높아지는 불합리한 일이 생겼습니다. 그래서 유럽에서는 한때 금화를 깎아서 가치를 떨어뜨려 사용하기도 했습니다.

이를 대체한 것이 종이 돈, 즉 지폐입니다. 중국에서 종이가 발명된 후 지폐가 화폐로 대중화되었습니다. 당시 중국에서 사용했던 지폐는 오늘날 우리가 사용하는 공책보다 크기가 더 컸다고 합니다. 책을 옆구리에 끼고 다니듯 지폐를 들고 다녔다고 합니다.

지폐는 사실 신용 화폐라고 할 수 있습니다. 어떤 의미에서는 보관 영수증이라고 할 수 있습니다. 종이에 쓰여 있는 금액만큼 금을 바꾸어 주었습니다. 금본위제를 실시한 미국의 달러가 대표적인 예입니다. 미국에서 달러 지폐를 사용할 당시에 일정량 이상의 지폐를 은행에 가져가면 그만큼의 금을 받을 수 있었습니다.

11장

시민의 수와 법

법

결혼과 서자(庶子)

동물은 늙어서 죽기 전까지 계속 번식해.
하지만 사람은 달라.

사람은 각각 다른 생각을 가지고 있고,
자네 정말 결혼 안 할거야?
난 독신주의자야.
성격이 다르고,
못 보던 아인데?
나는 자식을 많이 나아서 축구팀을 만들 거야.
정욕의 정도가 다르기 때문에 번식에 차이가 있어.

일부 여성들은 출산에 따른 고통,
많은 자식을 키우는 고생,
젊었을 때의 아름다움을 유지하려는 욕심 등으로 출산을 멀리하기도 해.
저와 결혼해 주시겠습니까?
애만 낳지 않는다면….
한편 아버지는 자식을 양육해야 하는 의무가 있어.
결혼 제도는 이 의무를 다하기 위해 생긴 것이라고 볼 수 있습니다.
문명국에서는 아버지가 해야 할 의무를 법으로 규정하고 있어.
의무
아버지가 감당해야 할 의무는 동물 사회에서는 보통 어미 혼자만으로 할 수 있는 일이야.
하지만 인간 사회에서 그 의무는 훨씬 광범위해.
도대체 내가 해야 할 일이 왜 이리 많은 거야?
인간에게는 이성이 있기 때문이야.
이성
아이가 자라면서 이성이 서서히 발현되므로 동물들처럼 자식을 길러서는 안 돼. 적절한 교육이 필요하지.
학교
인간 사회에서 문란한 성생활은 종의 번식에 도움이 되지 않아.
자식을 양육할 자연적 의무를 지는 아버지가 누구인지 명확하지 않기 때문이야.
하지만 어머니는 분명하므로 어머니에게 양육의 모든 의무가 주어져.
당신 배에서 나왔으니 당신 아이가 맞아요!

어머니는 문란한 성생활에 대한 수치심을 느끼며 후회하고,
여성이라는 틀에 구속되고,
법의 준엄한 심판 등으로 삶에 제한을 받아.
어머니는 부양의 능력을 가질 수가 없고,
엄마, 배고파. 밥 사 줘.
조금만 참아 봐.
자식은 제대로 성장할 수가 없을 거야.
배고파, 배고파, 배고파, 배고파.
따라서 성의 순결성은 종족의 번식에 큰 영향을 끼친다고 할 수 있지.
결혼을 하고 자식을 낳으면 그 자식은 아버지의 신분을 이어받아.
반면에 결혼을 하지 않고 자식을 낳으면 어머니의 신분을 이어받지.
아내가 남편의 가문으로 옮기는 것은 전 세계 대부분의 나라에서 관습처럼 되어 있어.
나와 결혼했으니 이제 나의 성 Tayler를 쓰시오.
물론 타이완 같은 곳에서는 남편이 아내의 가문으로 옮기기도 해.
이제 우리 가문의 성을 써야 해요.
네. 그렇게 할게요.
법은 같은 성(姓)을 가진 사람들만의 계승 행위로 가문을 이루도록 하고 있어.
이 법은 인류의 번식에 공헌을 했지.
법

또한 법은 남자와 여자의 관계를 규정하고 있어.
일부다처제를 허용하는 이슬람교의 법에 따르면 아내에 순위가 있어.
1
2
3
그녀들의 자식은 어머니의 신분과 집안에 따라 차별을 받아.
중국도 어떻게 보면 일부다처제야.
중국에서는 첫째 부인이 정식 부인으로서 권세를 가져.
첩의 자식은 첫째 부인의 자식이 되고, 첫째 부인의 양육을 받아.
따라서 첩의 아들은 첫째 부인에게 효를 다해야 해.
나중에 커서 맛있는 거 많이 사 드릴게요.
중국의 법은 생모가 아니라 법이 정한 모친에게 어머니의 예를 다하도록 만들었다고 할 수 있어.
법
앞으로 법이 정한 대로 행하도록 하라.
때문에 중국에서는 법적으로 서자가 존재하지 않아.
일부다처제가 인정되는 나라에서 서자라는 신분은 큰 의미가 없습니다.
법
서자라는 신분은 일부일처제가 인정되는 나라에서만 의미가 있습니다.

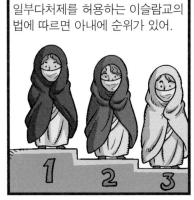

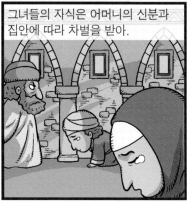

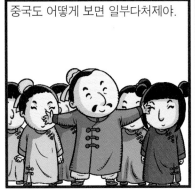

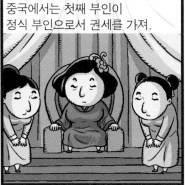

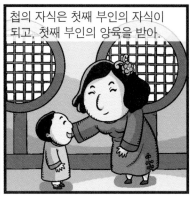

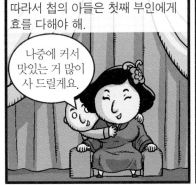

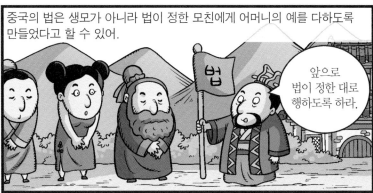

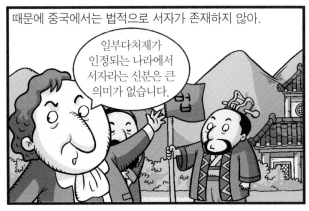

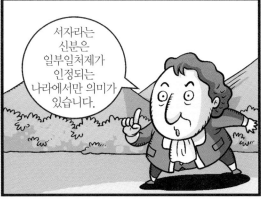

일부일처제를 택한 나라에서 축첩은 비난받을 일이고,
아직도 정신 못 차리는 사람들이 있구만.
부인에게 미안하지도 않아?
첩에게서 태어난 자식 역시 비난의 대상이 되기 때문이지요.
아버지를 아버지라 부르지 못하고….
서자는 군주정체보다 공화정체에서 더욱 가증스러운 존재로 인식돼.
공화정체
공화정체에서 군주정체보다 습속의 순결이 더욱 중요하게 여겨지기 때문이야.
습속의 순결
공화정을 택한 로마에서도 서자에 대해서 가혹한 규정을 만들었어.
민주정체에서는 시민들이 주권을 행사하므로 신분이 몹시 중요해.
그래서 종종 서자의 신분에 관련된 법이 제정되기도 했어.
권세를 가진 자들에 대항하려면 우리의 수가 많아야 합니다.
힘을 합칩시다!
저것들이….
시민의 수가 많을수록 시민의 권세가 강해지기 때문이야.
이번에 서자를 시민으로 받아들이는 법을 제정하도록 노력합시다.
아테네에서는 이집트 왕이 자신들에게 보낸 밀을 보다 많이 차지하려고 서자들을 시민의 수에 포함시키지 않았다고 해.
흥, 저놈들을 시민으로 인정해 주면 우리가 먹을 게 부족해져.

그리스의 도시국가들은 시민의 수가 충분하지 않을 때는 서자도 상속권을 갖게 해 주었습니다.
상속권
그러나 시민의 수가 충분하면 서자에게 상속권을 주지 않았습니다. 이중적인 모습을 보인 거죠.
더 이상 상속권을 줄 수 없으니 그만들 돌아가시오.
결혼에 대한 아버지의 권리
결혼에는 아버지의 동의가 필요해.
허락할 수 없네. 당장 돌아가!
열심히 살겠습니다. 허락해 주세요.
아버지는 자식에 대한 소유권이 있으며,
자식을 사랑하고, 자식보다 여러 면에서 이성적이기 때문이야.
자식의 결혼에 대한 결정권을 한때 법에 의해 강제로 집정자가 행사했던 적이 있어.
집정자가 결혼을 결정하는 것이 국가에 도움이 됩니다!
자기는 결혼도 안 하면서. 쯔쯧!
실제로 스파르타에서는 집정자가 결혼을 감독했지.
내가 허락해야만 너희들은 결혼할 수 있어.
대개의 나라에서 자식을 결혼시킬 때 아버지가 주도적으로 관여했어.
아버지들은 자손을 통해서 자신의 미래를 보기 때문이야.
만약에 아버지의 권위를 집정자의 탐욕과 압제로 빼앗는다면 어떻게 될까?

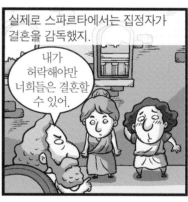

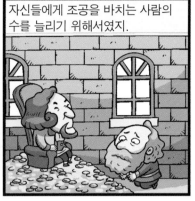

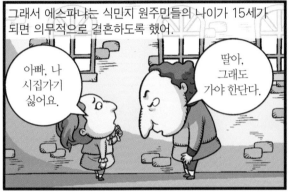

에스파냐의 예를 들어서 생각해 보자.
에스파냐
에스파냐 정부는 아메리카 식민지 원주민들의 결혼을 자신들이 맘대로 결정했어.
너, 내일 장가가라.
네?
자신들에게 조공을 바치는 사람의 수를 늘리기 위해서였지.
그래서 에스파냐는 식민지 원주민들의 나이가 15세가 되면 의무적으로 결혼하도록 했어.
아빠, 나 시집가기 싫어요.
딸아, 그래도 가야 한단다.
세상에서 가장 자유스러워야 할 결혼이라는 행위에서 아메리카 원주민들은 노예처럼 복종해야 했던 거야.
가혹한 통치를 받는 나라의 가난한 사람들은 자식을 많이 낳고 싶어 하지 않아.
뭐야, 자네 미쳤어? 어떻게 키우려고 자식을 둘이나 낳았어?
그들은 가진 것이 없으므로 당장 먹고 살기가 힘들어.
배고파.
자식들이 병에 걸려도 제대로 된 치료조차 해 주지 못하지.
미안하다, 아가야. 조금만 참아.
물론 자식들에게 물려줄 것도 전혀 없어.
아메리카의 원주민들은 자식들도 자기들처럼 가혹한 지배자들 때문에 고생하지 않기를 바랐어.
쯔쯧! 못난 부모를 만나 생고생을 하는구나.

그래서 여자들은 자신의 몸을 상하게 하여 억지로 낙태를 시키곤 했어.
낙태
가혹한 통치가 자식을 낳고자 하는 자연적인 감정까지 파괴한 거야.
가혹한 통치
로마 제국의 쇠망과 인구의 수
몽테스키외는 로마 제국이 스스로 무덤을 파서 국민들을 파멸시켰다고 주장했어.
로마 제국은 전쟁을 끊임없이 일으켰고,
주변의 나라를 병합하면서 로마 시민을 많이 잃었습니다.
로마의 지도자들은 시민의 수를 늘리기 위해 여러 가지 방법을 사용했어.
이번엔 어떤 방법을 써 볼까?
동맹국의 시민들에게 로마 시민권을 부여하기도 했고,
시민권
노예 중에서도 일부 똑똑하고 재산이 많은 이들에게도 로마 시민권을 주었어.
그리고 시민의 수를 늘리기 위해 다양한 법을 제정했어.
특히 로마는 시민들의 결혼을 장려하는 법을 제정했어.
앞으로 결혼한 사람들은 집을 사 주겠다!
당시 로마는 혼자 사는 분위기가 팽배했어.
결혼을 왜 해? 혼자가 얼마나 편한데.
결혼 해 봐야 머리만 아프지.
오랜 전쟁, 국내 정치 세력들 사이의 분쟁 등으로 로마는 피폐했고,
시민들의 수는 점점 줄어들었지.
사람들이 다 어디 갔지?

게다가 습속이 부패해진 로마의 시민들은 결혼을 멀리했어.
순수한 사랑과 쾌락에 싫증이 난 로마 시민들에게 결혼은 커다란 고통이었거든.
이거 마누라 눈치가 보여서 바람도 잘 못 피겠어.
그러게 누가 결혼을 하래? 나처럼 혼자 살면 얼마나 자유로워?
카이사르와 아우구스투스는 시민들이 결혼을 하도록 여러 가지 법을 제정했어.
감찰제를 부활시켜 시민들이 결혼에 관한 법을 잘 지키는지 감찰하도록 했어.
저놈, 뭔가 수상해!
특히 카이사르는 자녀를 많이 가진 사람에게 상을 주기도 했어.
아이들이 나라의 기둥입니다.
반면에 45세 이하로 남편이나 자식이 없는 여자에게는 보석을 착용하거나, 가마 타는 것을 금했지.
저기! 가마 타고 가는 여성 분 잠깐 봅시다. 댁은 자녀가 있나요? 없으면 내려서 걸어가시오.
이러한 일은 허영심 때문에 독신을 고집하는 여성들을 압박하기에 효과적이었어.
결혼하든지 해야지 정말 서러워서….
카이사르의 뒤를 이은 아우구스투스의 법은 좀 더 준엄했어.
아우구스투스는 결혼을 하지 않은 사람들에게 형벌을 가하기도 했거든.
넌 아직도 장가 안 갔지? 다 잡아오라는 명령이다.
반면에 결혼을 하여 자녀를 가진 자에게 주는 상을 카이사르 때보다 더 늘렸어.
무조건 상줌.

하지만 아우구스투스의 법은 실행되는 과정에서 어려움이 많았어.
무슨 법이 이런가?
그러게….
로마의 시민들은 아우구스투스에게 법의 폐지를 강력하게 요구했어.
우리에게 결혼의 자유를 허락하라!
하지만 아우구스투스의 의지도 만만치 않았어. 그는 시민들을 광장에 모았어.
결혼한 사람들은 이쪽으로 모이시오.
결혼을 하지 않은 사람들이 그 반대쪽으로 모이시오.
보시오! 로마의 시민들 중에 결혼을 하지 않은 자들이 훨씬 많소. 이대로 두면 어떻게 되겠소? 우리 로마에는 시민들은 없고 노예만 있을 것이요. 로마 제국은 멸망할 것은 뻔한 일이오.
이 장면을 본 시민들은 깜짝 놀랐어.
우아! 결혼하지 않은 사람이 이렇게 많아! 아우구스투스의 말이 틀리지 않았어.
전쟁과 질병이 우리에게서 그렇게 많은 시민을 빼앗아갔는데도 사람들이 결혼을 하지 않는다면, 이 도시는 멸망하고 말 것입니다.

도시를 형성하는 것은 인간이며, 동화에서처럼 지하에서 인간이 나와 여러분의 일을 보살펴 주는 것이 결코 아닙니다.
여러분이 독신으로 있는 것은 절대로 혼자서 생활하기 위해서가 아닙니다. 여러분은 모두 연애를 하고 있습니다. 이것이야말로 성적인 문란함 속에서 평화를 희구하는 것이 아닐까요?
여러분이 정결의 법을 지키지 않는다면 베스타의 처녀처럼 처벌할 것입니다.
저는 결혼을 하지 않고, 자녀를 낳지 않는 시민들은 나쁜 시민이라고 생각합니다.
나의 유일한 목적은 로마가 영원히 발전하는 것입니다.
나는 법에 복종하지 않는 시민들의 벌을 더 무겁게 했습니다. 반면에 복종하는 시민들에게는 더 큰 상을 주었습니다.
이렇게까지 했는데도 여러분은 아내를 얻고 자식을 키우려는 마음이 생기지 않는단 말입니까?
아우구스투스는 결혼에 관한 법을 제정했고 강력하게 집행했어.
사람들은 그 법을 그의 이름을 따서 율리아 법이라 불렀어.
율리아 법
아우구스투스의 결혼에 관한 법은 법전이라고 할 정도로 내용이 많았어.

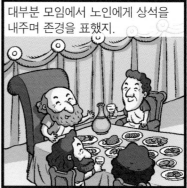

시민의 결혼에 관련된 모든 내용을 담을 정도로 범위가 넓었고 많은 것에 영향을 주었거든.
아우구스투스의 법은 로마의 시민법 중 가장 훌륭한 법이라는 평가를 받기도 해.
법
아우구스투스의 법에는 많은 항목이 있는데 그중에서 35개 항목이 지금까지 알려지고 있어.
그중 한 가지 법이 주는 영예와 포상에 대해서 알아보자.
법
영예 포상
로마에는 노인을 공경하는 풍습이 있었어.
자네 덕분에 편하게 가게 됐구만.
금방 모셔다 드릴게요.
대부분 모임에서 노인에게 상석을 내주며 존경을 표했지.
그러나 로마 시민의 수가 줄어들고 아우구스투스의 법이 제정된 후부터는 법에 의해 노인이 받았던 공경이 모두 결혼을 하고 자녀의 수가 많은 사람에게 돌아갔어.
결혼을 한 사람에게는 남편의 권리라는 특권을 주었어.
기혼자에게는 극장에서도 특별석을 주었고
특히 세 자녀 이상을 가진 자에게는 더 큰 특권을 주었어.
너희에게 소원 3가지를 들어주겠다.
가장 많은 자녀를 가진 기혼자는 모든 행사에서 우선적인 대접을 받았어.
아이들이 많은 순서대로 줄을 서라.

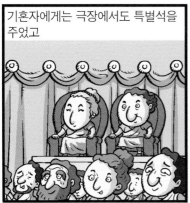

집정관 중에서도 자녀의 수가 많은 이에게 혜택이 있었지.
저의 아이가 많으므로 제가 다스릴 곳을 먼저 선택하겠습니다.
원로원 의원도 마찬가지였지. 가장 많은 자녀를 가진 원로원 의원이 의원 명부에 맨 먼저 이름을 올렸어.
1번이 나야. 난 13명의 애들이 있어.
또한 그는 원로원에서 가장 먼저 의견을 진술하는 특권을 누렸어.
내가 1번 맞지? 먼저 말할게.
난 2번.
3명만 더 낳을 걸.
반면에 결혼을 하지 않은 사람은 여러 불이익을 받았지.
결혼을 했더라도 자녀가 없는 자는 상속을 절반밖에 받지 못했어.
로마 인은 상속인을 얻기 위해서가 아니라 상속인이 되기 위해서 결혼했다!
아버지가 위독하신데 큰일났네…. 애가 없으니.
빨리 서둘러서 하나 낳아.
결혼을 하지 않은 자는 상속을 받을 수 없었어.
아버지가 살아 계실 때는 우리도 부자였는데…. 빨리 장가 갈걸.
아버지가 자녀를 결혼시키려 하지 않거나, 딸에게 지참금을 주지 않으려 하는 경우,
넌 아빠랑 영원히 살아야 해. 시집갈 생각 마.
강제로 아버지에게 지참금을 주도록 하고, 또한 결혼을 시키게 만들었어.
당장 결혼시키지 않으면 처벌하겠다.
한편 60세의 남자가 50세의 여자와 결혼하는 것은 금지했어.
우리 결혼합시다.
우린 이루어질 수 없는 사이에요.
법은 기혼자에게 여러 가지 특권을 부여했는데 비생산적인 결혼에 그 특권을 주는 것은 원치 않았기 때문이야.
의원들의 의결에 의해 50세의 여자나, 60세가 된 남자가 결혼을 할 경우에는 처벌을 하겠습니다.
법이 우리 사이를 떼어 놓는군요. 흑흑흑.

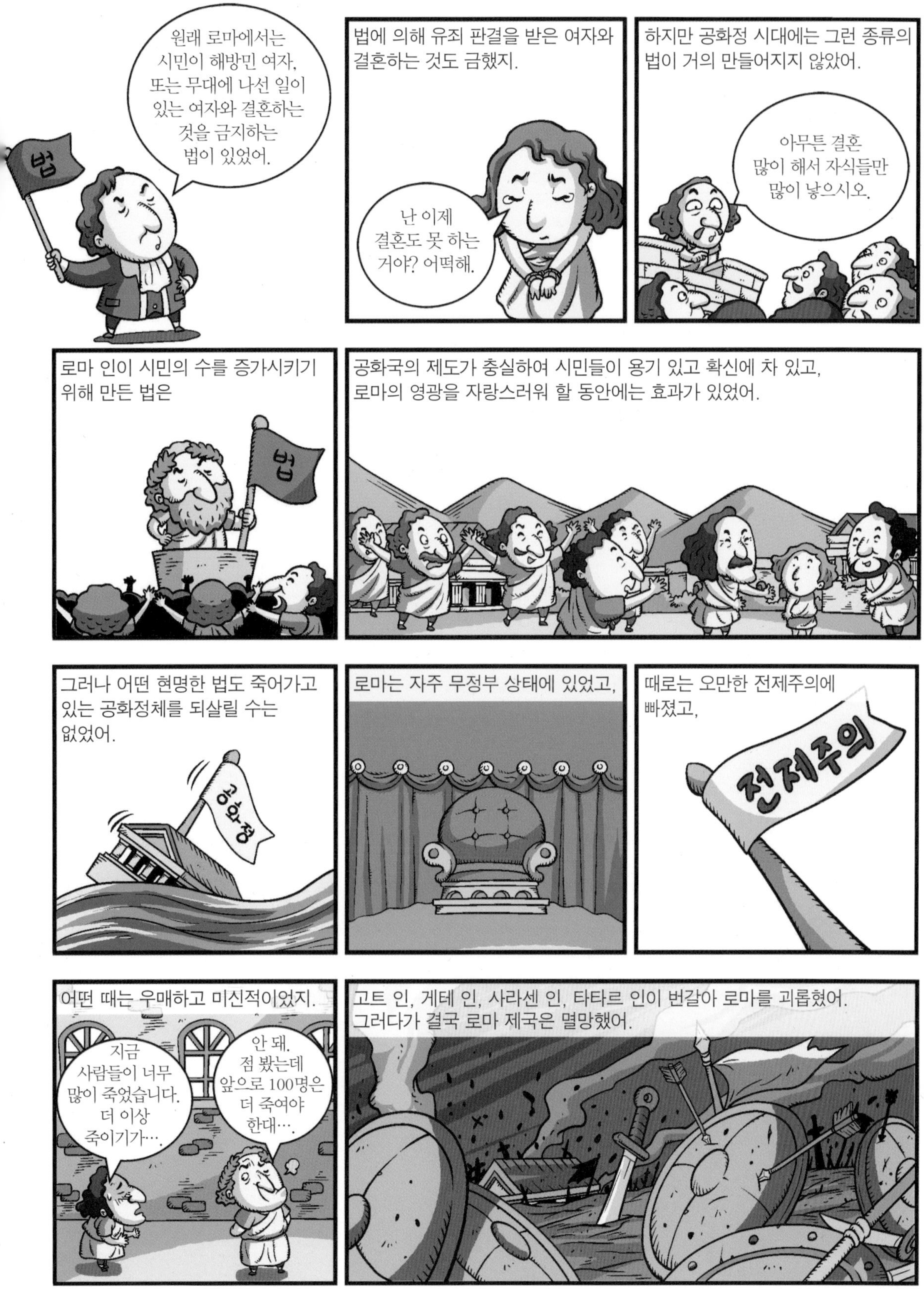
원래 로마에서는 시민이 해방민 여자, 또는 무대에 나선 일이 있는 여자와 결혼하는 것을 금지하는 법이 있었어.
법
법에 의해 유죄 판결을 받은 여자와 결혼하는 것도 금했지.
난 이제 결혼도 못 하는 거야? 어떡해.
하지만 공화정 시대에는 그런 종류의 법이 거의 만들어지지 않았어.
아무튼 결혼 많이 해서 자식들만 많이 낳으시오.
로마 인이 시민의 수를 증가시키기 위해 만든 법은
법
공화국의 제도가 충실하여 시민들이 용기 있고 확신에 차 있고, 로마의 영광을 자랑스러워 할 동안에는 효과가 있었어.
그러나 어떤 현명한 법도 죽어가고 있는 공화정체를 되살릴 수는 없었어.
공화정
로마는 자주 무정부 상태에 있었고,
때로는 오만한 전제주의에 빠졌고,
전제주의
어떤 때는 우매하고 미신적이었지.
지금 사람들이 너무 많이 죽었습니다. 더 이상 죽이기가….
안 돼. 점 봤는데 앞으로 100명은 더 죽여야 한대….
고트 인, 게테 인, 사라센 인, 타타르 인이 번갈아 로마를 괴롭혔어. 그러다가 결국 로마 제국은 멸망했어.

여러 나라의 결혼 문화

사회학자들에 따르면 인간이 만든 제도 중에서 가장 잘 만든 것이 가족 제도라고 합니다. 가족 제도는 우리 사회의 근간이고 또한 우리 인생에서 가장 중요한 목표가 되기도 합니다. 가족 제도가 건강하면 사회도 건강하고 나라도 건강하고 구성원들도 모두 건강할 수 있답니다.

중국의 결혼 문화

옛날 중국에서는 부모가 결혼을 결정했습니다. 비슷한 시기의 다른 나라도 대부분 비슷했습니다. 부모가 한번 혼사를 결정하면 자식들은 그대로 따라야 했습니다. 당사자들이 아무리 좋아도 부모의 승인이 없으면 결혼하지 못했습니다.

중국인들은 육례(六禮)라는 절차에 따라 결혼을 했는데 이것은 아주 오랜 세월 동안 중국의 결혼 풍습이었습니다. 육례의 첫 번째 단계는 납채(納采)입니다. 일종의 구혼이지요. 남자 집에서 중매쟁이에게 예물을 주어 여자 집으로 전달하게 하는데 만약에 여자 쪽에서 예물을 받아들이지 않으면 구혼은 성사되지 않았습니다. 두 번째 단계는 문명(問名)이라고 하는데 여자의 이름과 출생년월일 등을 받아서 남자 집에 전달하는 것을 말합니다. 세 번째 단계는 납길(納吉)로 남자 집에서 여자의 이름과 생년월일로 점을 친 후에 그 사실을 알리는 일을 말합니다. 네 번째 단계는 납징(納徵)으로 남자 집에서 귀중한 예물을 준비하여 여자 집으로 보내는 일을 말하는데 이 단계가 지나면 남녀는 정혼을 한 상태가 됩니다. 다섯 번째 단계는 청기(請期)로 결혼 날짜를 정하는 일을 말합니다. 마지막 단계는 친영(親迎)으로 결혼하는 날에 남자가 여자를 데리고 집으로 오는 일을 말합니다.

그러나 오늘날 중국인들은 이 육례를 따르진 않습니다. 1950년에 공포된 새로운 법에 따라 부모의 독단적인 강요와 남존여비, 자녀의 이익을 경시하는 봉건주의 혼인 제도가 폐지되었기 때문입니다.

영국과 스위스의 결혼 문화

영국인들은 결혼식을 주로 교회나 성당에서 합니다. 일부 귀족들은 자신들의 저택 잔디밭에서 하기도 합니다. 종교가 없거나 가난한 사람들은 결혼 등록소 등과 같은 공공장소에서 결혼식을 합니다.

결혼식을 한 후에 카페나 레스토랑에서 피로연을 엽니다. 이때 신부의 아버지가 손님들에게 인사말을 하고 하객들은 음식을 먹으며 신랑과 신부에게 축하를 합니다. 가족들의 덕담이 끝난 후에 신랑과 신부는 결혼 축하 케이크를 자르고 피로연장에서 나와 신혼여행을 떠납니다.

웨스터민스터 사원에서 한 영국의 윌리엄 왕자 부부의 결혼식 장면

한편 스위스 사람들은 결혼식을 올리기 전에 자신이 살고 있는 지역의 신문과 방송에 신랑 신부의 이름을 알리고 일주일 동안 기다린 후에 아무런 이의가 없을 때 결혼을 할 수 있다고 합니다.

아프리카의 결혼 문화

에디오피아는 부족마다 결혼 문화가 조금씩 다른데 일반적으로 신랑이 될 사람이 신부가 될 사람의 집에 몰래 가서 처녀를 본 후에 마음에 들면 청혼을 한다고 합니다. 청혼을 받으면 신부 집안에서는 신랑 측에 사람을 보내어 재산 상태를 조사하고 여자를 결혼시켜 주는 대가로 돈을 요구하고 서로 합의를 봅니다. 합의가 되면 신랑 집에서 신부 집으로 혼사 대금을 먼저 지불한 후에 결혼을 추진합니다. 이런 결혼 문화는 에디오피아뿐만 아니라 나이지리아, 우간다 등도 비슷합니다. 나이지리아의 어떤 부족에서는 여자 아이가 3~6세일 때 여자 아이의 부모가 신랑감을 찾아서 약혼시키고 13~16세까지 신부 집에서 일을 시킨다고 합니다.

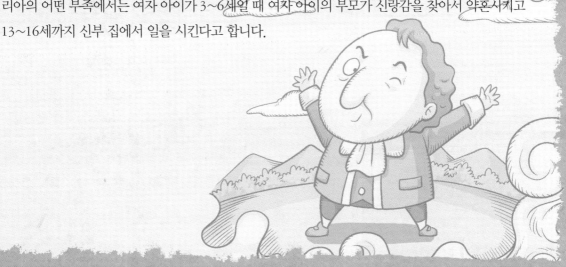

12장 법의 제정

법
입법자의 정신과 법
몽테스키외는 입법자의 정신과 법의 재판에 대해 이렇게 말했어.
입법자의 정신은 중용이어야 합니다. 정치적 선은 도덕적 선과 마찬가지로 언제나 두 극단 사이에 있기 때문입니다.
그리고 다양한 재판은 시민의 자유를 지키기 위해서 필요합니다. 그러나 재판의 수가 지나치게 많아지면 그것을 정한 법 자체의 목적을 손상시킬 수도 있습니다.
재판
재판
재판
재판
재판
그렇게 되면 사건은 종결되지 않고, 재산의 소유권은 미확정인 채로 남게 될 것입니다.
미확정
심리를 하지 않고 당사자 중 한쪽에 다른 쪽의 재산을 넘겨줄 수도 있습니다.
$
아니면 재판에 의해 당사자 모두가 파멸할 수도 있습니다.

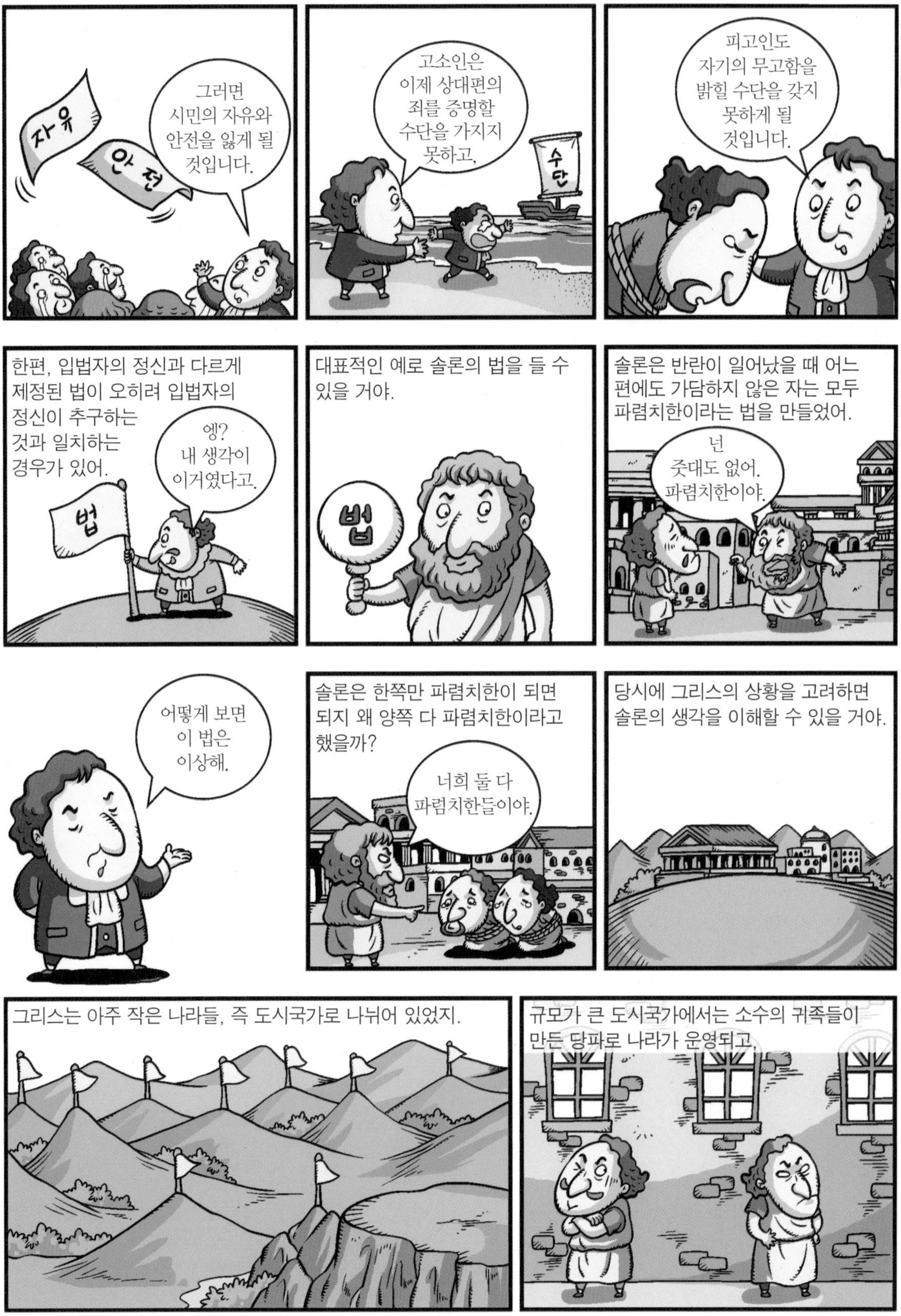
자유
안전
그러면 시민의 자유와 안전을 잃게 될 것입니다.
고소인은 이제 상대편의 죄를 증명할 수단을 가지지 못하고,
수단
피고인도 자기의 무고함을 밝힐 수단을 갖지 못하게 될 것입니다.
한편, 입법자의 정신과 다르게 제정된 법이 오히려 입법자의 정신이 추구하는 것과 일치하는 경우가 있어.
엥? 내 생각이 이거였다고.
법
대표적인 예로 솔론의 법을 들 수 있을 거야.
법
솔론은 반란이 일어났을 때 어느 편에도 가담하지 않은 자는 모두 파렴치한이라는 법을 만들었어.
넌 줏대도 없어. 파렴치한이야.
어떻게 보면 이 법은 이상해.
솔론은 한쪽만 파렴치한이 되면 되지 왜 양쪽 다 파렴치한이라고 했을까?
너희 둘 다 파렴치한들이야.
당시에 그리스의 상황을 고려하면 솔론의 생각을 이해할 수 있을 거야.
그리스는 아주 작은 나라들, 즉 도시국가로 나뉘어 있었지.
규모가 큰 도시국가에서는 소수의 귀족들이 만든 당파로 나라가 운영되고,

대신 나머지 다수의 시민들은 편안하게 살 수 있었어.
이런 나라에서 반란이 일어나면,
다수의 시민들이 소수의 반란자들을 소환하여 그들을 벌하고 나라의 혼란을 잠재울 거야.
그러나 규모가 작은 도시국가에서 내란이 일어나면,
시민 대부분이 투쟁에 가담할 수밖에 없어.
이럴 때는 사려 깊고 침착한 소수의 사람들을 반란자 무리로 데리고 가야 해.
너 누구야? 못 보던 얼굴인데?
그들이 나머지 시민들을 지도하여 내란을 멈추고 평화를 찾아올 수 있기 때문이야.
평화
이러한 이유로 시민들은 지도자가 될 만한 이들이 먼저 도망가서 공화국의 혼란을 수습할 수 없게 되는 사태를 크게 걱정할 수밖에 없었지.
그래서 솔론은 반란이 일어났을 때, 어느 편에도 가담하지 않는 자는 모두 파렴치한이라는 법을 만들었던 거야.
그것 봐. 내 말이 맞지?
그래야 사려 깊은 사람들이 도망가는 것을 막을 수 있기 때문이야.
어디 갈 생각하지 마. 이번에 법 바뀐 거 알지?
안 가려고 했다고요.

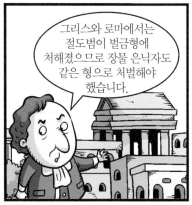

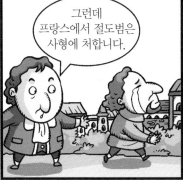

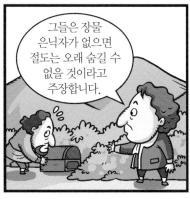

입법자의 의도에 어긋나는 법
그리스 법과 로마 법은 장물 은닉자를 절도범과 같은 형으로 처벌했어.
프랑스의 법도 마찬가지야. 그런데 몽테스키외는 그리스와 로마의 법은 합리적이지만 프랑스의 법은 그렇지 않다고 했어.
그리스와 로마에서는 절도범이 벌금형에 처해졌으므로 장물 은닉자도 같은 형으로 처벌해야 했습니다.
왜냐하면 어떤 손해에 어떤 방법으로든 협력하는 자는 그것을 보상하지 않으면 안 되기 때문입니다.
그런데 프랑스에서 절도범은 사형에 처합니다.
저는 장물 은닉자를 절도범과 마찬가지로 사형으로 처벌한다면 너무 극단적인 형벌을 주는 거라고 생각합니다.
훔친 물건을 받는 자는 가끔 악의 없이 그럴 경우가 있기 때문이지요.
훔친 건줄 몰랐어요.
어떤 법학자들은 프랑스의 법보다 더 냉혹했습니다. 그들은 장물 은닉자를 절도범보다 더 나쁘다고 간주했거든요.
그들은 장물 은닉자가 없으면 절도는 오래 숨길 수 없을 것이라고 주장합니다.
물론 그 대가가 벌금형인 경우에는 그렇게 생각하는 것도 괜찮습니다.
즉 사건의 문제가 손해라면, 장물 은닉자는 대개 절도범보다 배상 능력이 있기 때문이지요.
하지만 그 대가가 사형이면 생각을 크게 달리 해야 할 겁니다.

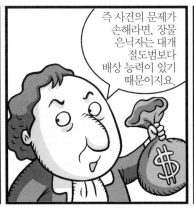

법은 항상 그 제정 목적에
충실해야 한다.
절도범이 훔친 물건을 감추려고 어떤 장소로 운반해 가기 전에 그 훔친 물건과 함께 붙잡혔을 경우, 그것을 로마에서는 현행 절도범이라고 불렀어.
또 절도범이 나중에 밝혀졌을 때에는 비 현행 절도범이라고 불렀어.
1주일 전에 네가 훔쳐 갔지?
로마의 법은 현행 절도범이 성년이면 태형을 가하여 노예로 삼고,
미성년이면 단지 태형만 가한다고 정했어.
앞으로 이 정도로 안 끝난다. 반성해. 알겠지?
그리고 비 현행 절도범에게는 훔친 물건의 두 배에 달하는 벌금형에 처했을 뿐이야.
내일까지 두 배 지불해.
두 배요?
나중에 시민에게 태형을 가하여 노예로 삼는 관행마저도 폐지했어.
노예폐지
그리고 현행 절도범은 훔친 물건 값의 네 배에 해당하는 벌금형을 언도받았지.
4배 벌금
비 현행 절도범은 종전대로 두 배의 벌금을 물어야 했어.
나도 좀 깎아 주지.
그런데 로마 법에 이상한 점이 있어.
절도범이 훔친 물건을 목적지에 운반하기 전에 붙잡혔거나, 나중에 붙잡혔거나 그것이 범죄의 질을 변하게 하는 것은 아니잖아요?
왜 그럴까? 그건 절도에 관한 로마 법의 기원과 관련이 있어.
절도에 관한 로마 법의 모든 이론은 스파르타의 법에서 유래했어.
로마
스파르타
스파르타의 법은 또 크레타 인에게서 이어받은 거야.
크레타인
스파르타

리쿠르고스는 스파르타 시민에게 교묘한 수완과 민첩한 행동을 갖도록 하기 위해 이런 말을 했어.
어린아이들에게 절도를 가르치라. 그리고 현장에서 붙잡히는 얼빠진 놈은 회초리로 매우 쳐라.
이런 사고가 로마에 이어져 현행 절도범과 비 현행 절도범 사이에 차이를 갖게 한 거야.
4배 벌금
배 벌금
현행범
비현행범
시민법이나 정법(정체와 관련된 법)은 언제나 사회의 이익을 위해서 제정돼.
시민법
정법
시민법은 정법에 의존하기 때문에 한 나라의 시민법을 다른 나라에 이식하고자 할 때는 두 나라가 같은 정치 체제를 가졌는지 사전에 검토하는 것이 좋아.
따라서 절도에 관한 법이 크레타 인으로부터 스파르타 인에게로 옮겨졌을 때는 그 정체나 헌법도 동시에 옮겨진 것이므로
헌법
정체
그 법은 두 나라 어느 쪽에 있어서나 합리적이었어.
그러나 그것이 스파르타에서 로마로 옮겨졌을 때는 로마의 정체가 스파르타의 정체와 같지 않았으므로
그 법은 로마에서는 생소했으며, 다른 시민법과 연관성을 갖지 못했지.
?
또한 법은 그 법을 제정한 상황은 분리하면 안 돼.
법
로마 법은 의사가 부주의하거나 또는 무능할 때 처벌할 수 있다고 정했어.
감기에 걸린 부인을 왜 수술해서 죽게 만들어?

법은 다소 지위가 높은 의사는 유배형에 처하고,
지위가 낮은 의사는 사형에 처했어.
그런데 로마 법은 우리의 법과 같은 상황 아래 만들어진 것이 아니었어.
법
로마에서는 누구나 원하는 사람이 의사 노릇을 할 수 있었으나,
저, 의사 할래요.
내일부터 출근하게.
프랑스에서는 의사는 연구를 하고 일정한 학위를 획득할 의무가 있어.
그러므로 프랑스에서는 의사가 실수했을 때 처벌을 하지 않는 거야.
이상하군요. 학문대로 했는데 이런 일이 생기고 말았습니다.
법은 스스로 교정되는 것이 좋아.
법
로마의 법은 추적당하던 절도범이 저항하면 죽여도 무방하다고 했어.
더 이상 도망갈 곳은 없다. 어서 항복해!
내가 순순히 항복할 것 같으냐?
그러나 이 법은 절도범을 죽이는 자는 고함을 질러 시민들을 부르도록 명하고 있어.
동네 사람들. 잠깐 이리와 보세요.
이것은 행위가 이루어지는 순간에 증인을 부르는 결백의 한 수단이라고 할 수 있어.
시민의 안전과 자유에 어긋날 수 있는 법은
법
시민들의 면전에서 집행되도록 한 것이지.
법
안전 · 자유

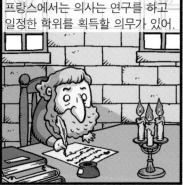

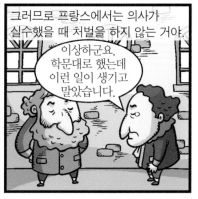

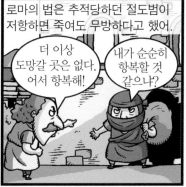

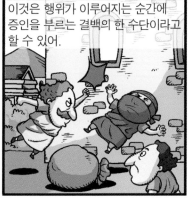

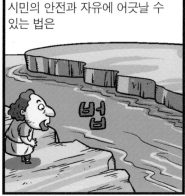

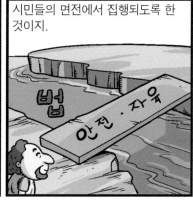

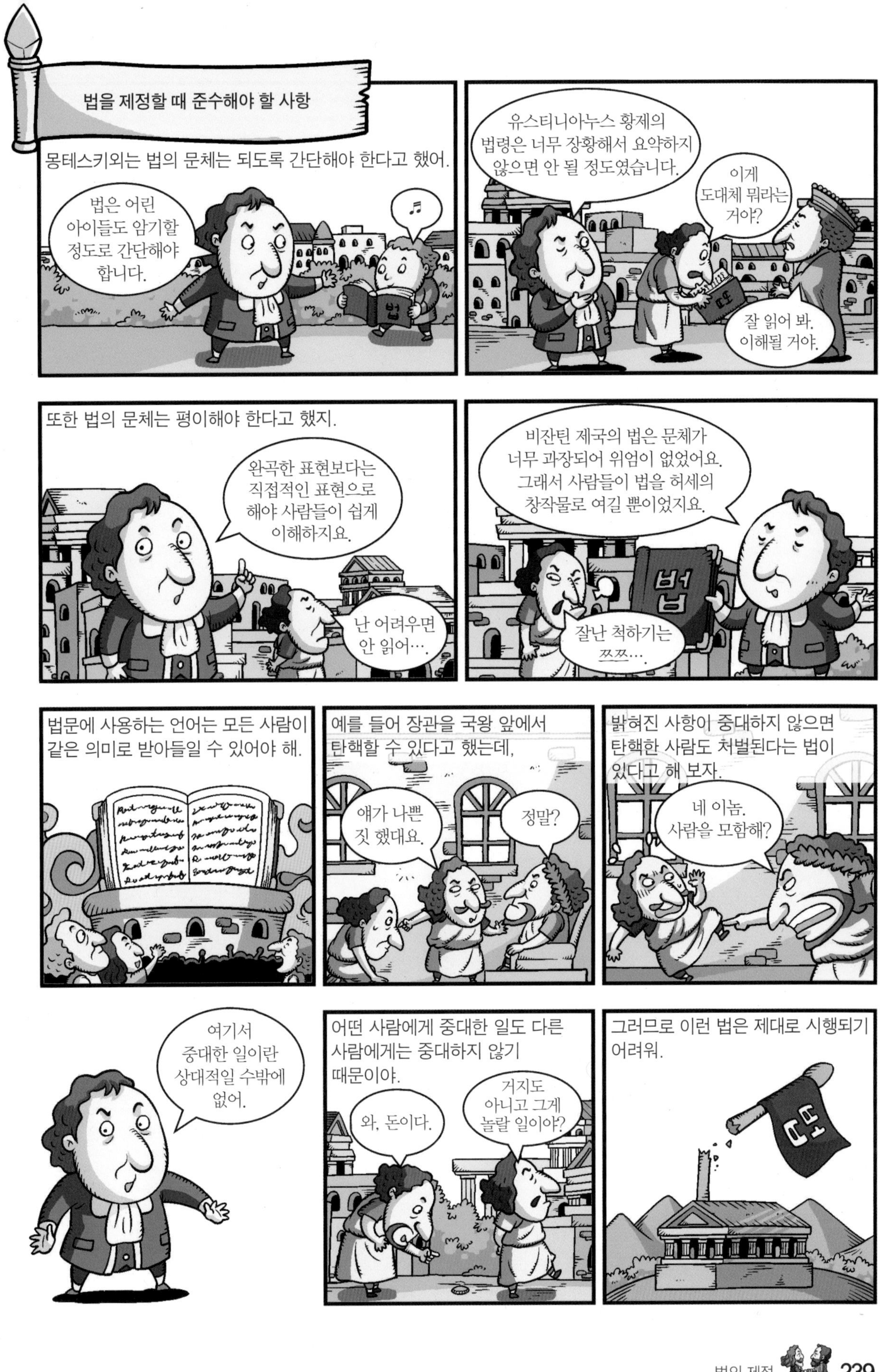

법을 제정할 때 준수해야 할 사항
몽테스키외는 법의 문체는 되도록 간단해야 한다고 했어.
법은 어린 아이들도 암기할 정도로 간단해야 합니다.
♬
유스티니아누스 황제의 법령은 너무 장황해서 요약하지 않으면 안 될 정도였습니다.
이게 도대체 뭐라는 거야?
잘 읽어 봐. 이해될 거야.
또한 법의 문체는 평이해야 한다고 했지.
완곡한 표현보다는 직접적인 표현으로 해야 사람들이 쉽게 이해하지요.
난 어려우면 안 읽어….
비잔틴 제국의 법은 문체가 너무 과장되어 위엄이 없었어요. 그래서 사람들이 법을 허세의 창작물로 여길 뿐이었지요.
법
잘난 척하기는 쯔쯔….
법문에 사용하는 언어는 모든 사람이 같은 의미로 받아들일 수 있어야 해.
예를 들어 장관을 국왕 앞에서 탄핵할 수 있다고 했는데,
얘가 나쁜 짓 했대요.
정말?
밝혀진 사항이 중대하지 않으면 탄핵한 사람도 처벌된다는 법이 있다고 해 보자.
네 이놈. 사람을 모함해?
여기서 중대한 일이란 상대적일 수밖에 없어.
어떤 사람에게 중대한 일도 다른 사람에게는 중대하지 않기 때문이야.
와, 돈이다.
거지도 아니고 그게 놀랄 일이야?
그러므로 이런 법은 제대로 시행되기 어려워.

법이 어떤 결정을 할 때 금전으로 해결하는 것은 피해야 해.
너의 죄는 벌금 500만원 짜리야.
화폐의 가치는 시대와 경제 상황에 따라 변할 수 있기 때문이야.
또한 법이 너무 치밀해서도 곤란해. 법은 보통의 양식을 가진 사람들을 위해 제정되는 거야.
또, 적을 게 없을까?
이 정도면 충분한 거 같은데….
그리고 법에는 예외 조항이 적을수록 좋아.
조항
너무 많나?
예외 조항이 많으면 범죄자들이 빠져나갈 길이 많아지기 때문이야.
흥, 예외 조항을 봐.
충분한 이유 없이 법을 변경해서는 안 돼.
법
유스티니아누스 황제는 남편이 2년 동안 부부관계를 하지 못할 경우
그 아내는 남편과 이혼해도 지참금을 잃지 않는다고 정했어.
당장 나가!
그런데 남편을 가엾게 여긴 그는 법을 고쳐서,
내가 너무 심했나?
성불능자에게 3년의 유예를 주었어.
3년 동안 잘 살아 봐~.
감사합니다.
그러나 이런 경우는 2년이나 3년이나 마찬가지야. 3년이라고 2년보다 나을 것이 없기 때문이지.
결국 이혼당했어요.

법적인 이유를 제시할 때는 그것이 그 법에 적합한 이유여야 해. 법의 추정은 인간의 그것보다 우월하기 때문이야.
추정
프랑스의 법은 상인이 파산 전 10일 이내에 한 일체의 행위를 사기행위로 간주해. 이런 것이 법의 추정이야.
당신 10일 동안 한 일을 모두 말해.
난 망했는데 너무 하세요.
로마 법은 간통한 아내를 집에 두는 남편을 처벌했어.
다시는 그런 짓 하지 마.
즉 남편이 소송의 결과를 두려워하거나, 혹은 그 자신의 치욕을 무시하여 그렇게 했다는 거야. 이것은 인간의 추정이라고 할 수 있어.
나도 잘한 게 없어서 그랬다구.
재판관은 남편의 행동의 동기를 추정함으로써 매우 모호한 사고방식에 입각해서 판정하지 않으면 안 되었지.
음….
재판관이 추정할 경우 판결은 자의적이 되고,
바보같아. 무기징역.
법이 추정할 경우 그것은 재판관에게 합리적인 판결을 하도록 도와줘.
법
법은 반드시 그 효과가 있어야 해. 그리고 어떤 특별한 협정에 의해서도 법이 손상되어서 안 돼.
마지막으로 법은 깨끗해야 해. 법은 인간의 사악함을 벌하기 위해 제정된 것이므로, 법에 사심이 들어가지 않아야 하고 그 자체가 최대한 깨끗해야 하는 거야.
법

대한민국의 헌법

기본 구성

대한민국의 현행 헌법은 전문과 부칙을 제외하고 모두 10개 장 130조의 조항으로 구성되어 있습니다. 제 1장인 총강에서 주권, 국민, 영토를 규정하고, 2장에서 국민의 권리와 의무를 규정하고 있습니다. 3장에서 국민의 대표기관인 입법부와 4장에서 대통령을 비롯한 행정부에 대해 규정하여 국회나 대통령보다 국민의 권리를 더 앞세우고 있음을 알 수 있습니다. 이어서 사법부와 선거 관리 및 지방 자치, 경제와 헌법 개정에 대한 조항을 순서대로 두었습니다.

헌법의 제1장과 제2장 내용 소개

대한민국 헌법에서 우리가 꼭 알아야 제1장, 제2장의 내용을 소개하면 다음과 같습니다.

제1장 총강

제1조

① 대한민국은 민주공화국이다.

② 대한민국의 주권은 국민에게 있고, 모든 권력은 국민으로부터 나온다.

제2조

① 대한민국의 국민이 되는 요건은 법률로 정한다.

② 국가는 법률이 정하는 바에 의하여 재외국민을 보호할 의무를 진다.

제3조

대한민국의 영토는 한반도와 그 부속도서로 한다.

제4조

대한민국은 통일을 지향하며, 자유민주적 기본질서에 입각한 평화적 통일 정책을 수립하고 이를 추진한다.

제5조

① 대한민국은 국제평화의 유지에 노력하고 침략적 전쟁을 부인한다.

② 국군은 국가의 안전보장과 국토방위의 신성한 의무를 수행함을 사명으로 하며, 그 정치적 중립성은 준수 된다.

(제1장은 제9조까지 있으며 제6조~제9조의 내용은 생략합니다.)

제2장 국민의 권리와 의무

제10조

모든 국민은 인간으로서의 존엄과 가치를 가지며, 행복을 추구할 권리를 가진다. 국가는 개인이 가지는 불가침의 기본적 인권을 확인하고 이를 보장할 의무를 진다.

제11조

① 모든 국민은 법 앞에 평등하다. 누구든지 성별 · 종교 또는 사회적 신분에 의하여 정치적 · 경제적 · 사회적 · 문화적 생활의 모든 영역에 있어서 차별을 받지 아니한다.

(②항, ③항 생략)

제12조

① 모든 국민은 신체의 자유를 가진다. 누구든지 법률에 의하지 아니하고는 체포 · 구속 · 압수 · 수색 또는 심문을 받지 아니하며, 법률과 적법한 절차에 의하지 아니하고는 처벌 · 보안처분 또는 강제노역을 받지 아니한다.

② 모든 국민은 고문을 받지 아니하며, 형사상 자기에게 불리한 진술을 강요당하지 아니한다.

④ 누구든지 체포 또는 구속을 당한 때에는 즉시 변호인의 조력을 받을 권리를 가진다. 다만, 형사피고인이 스스로 변호인을 구할 수 없을 때에는 법률이 정하는 바에 의하여 국가가 변호인을 붙인다.

(③항, ⑤~⑦항, 제 13조 생략)

제15조

모든 국민은 직업선택의 자유를 가진다.

제16조

모든 국민은 주거의 자유를 침해받지 아니한다. 주거에 대한 압수나 수색을 할 때에는 검사의 신청에 의하여 법관이 발부한 영장을 제시하여야 한다.

제17조

모든 국민은 사생활의 비밀과 자유를 침해받지 아니한다.

제18조

모든 국민은 통신의 비밀을 침해받지 아니한다.

제19조

모든 국민은 양심의 자유를 가진다.

제20조

① 모든 국민은 종교의 자유를 가진다.

② 국교는 인정되지 아니하며, 종교와 정치는 분리된다.

(제2장은 제 39조까지 있으며 제21조~제39조 생략합니다.)

몽테스키외 법의 정신

손영운 글 | 최우빈 그림

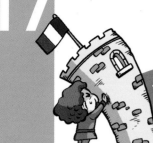

01 《법의 정신》을 쓴 사람은 누구일까요?

① 로크 ② 맹자 ③ 몽테스키외
④ 마키아벨리 ⑤ 아리스토텔레스

02 다음 중 《법의 정신》에 나오는 정부 유형과 관계없는 것을 고르세요.

① 과두정 ② 민주정 ③ 귀족정
④ 군주정 ⑤ 전제정

03 《법의 정신》에서 모델이 된 나라는 어디일까요?

① 프랑스 ② 이탈리아 ③ 독일 ④ 미국 ⑤ 영국

04 다음은 어떤 정치 제도를 말하는 것일까요?

- 한 사람이 모든 권력을 갖고 있다.
- 그는 법보다 위에 있으므로 법이 아무런 역할을 하지 못한다.

① 전제정 ② 군주정 ③ 민주정
④ 귀족정 ⑤ 공화정

05 《법의 정신》에서 법을 우리 몸의 어디에 비유하고 있나요?

____

06 실정법이 생기기 전에 정의로운 관계를 규정하는 법을 무슨 법이라 부를까요?

① 불문법 ② 성문법 ③ 정의법 ④ 자연법 ⑤ 헌법

07 민주정에서 국민은 무엇을 통해 주권을 행사할까요?

---

08 정부 유형과 원리의 관계가 올바르게 짝지어진 것을 고르세요.

① 공화정 – 덕의 원리
② 군주정 – 공포의 원리
③ 전제정 – 절제의 원리
④ 귀족정 – 명예의 원리
⑤ 민주정 – 투쟁의 원리

09 다음 괄호 안에 각각 들어갈 말을 쓰세요.

민주주의 국가는 입법부, 사법부, 행정부 간의 (   )와 (   )을 통해 움직인다.

---

10 《법의 정신》을 보면 민주주의는 불평등에 의해서도 타락하고 극단적인 평등에 의해서도 타락한다는 말이 나옵니다. 그 이유가 무엇인지 서술해 보세요.

정답

01 ③ / 02 ① / 03 ⑤ / 04 ① / 05 힘줄 / 06 ④ / 07 투표 / 08 ① / 09 견제, 균형 / 10 불평등은 시민들이 서로 분열되어 법을 지키지 않게 만들고, 극단적인 평등은 시민들이 지도자의 권위를 인정하지 않아 통치가 불가능해지기 때문입니다.